D0264878

DE ORKAAN

VAN 1953

DE ORKAAN

VAN 1953

Redders trotseerden natuurgeweld

Hans Beukema

INHOUD

Titel	De Orkaan van 1953 Redders trotseerden natuurgeweld
Auteur	Hans Beukema
Vormgeving	Frouke Roukema Grafische ontwerpen, Woudbloem
Litho's en druk	Giethoorn ten Brink bv, Meppel
Uitgave	Maritext vof, Delfzijl

ISBN 90-804684-5-2

De Koninklijke Nederlandse Redding Maatschappij

Dit boek brengt ons terug naar het jaar 1953. Aan de Nederlandse kust waren toen twee reddingmaatschappijen actief; de Koninklijke Noord- en Zuid-Hollandse Redding Maatschappij met een werkgebied van de Eems tot en met Scheveningen en de Koninklijke Zuid-Hollandse Maatschappij tot Redding van Schipbreukelingen met een beheersgebied van Ter Heijde tot de Belgische grens. Beide organisaties werden in 1824 opgericht en hadden een overeenkomstige doelstelling: het redden van schipbreukelingen.

De ontwikkelingen van de reddingmaatschappijen volgden de evolutie die zich in de scheepvaart voltrok: de roei- en zeilreddingboten maakten in de loop van de jaren plaats voor stoom- en motorreddingboten. Deze motorschepen werden steeds verder geperfectioneerd.

Alle reddingboten werden in principe door vrijwilligers bemand. Op de motorreddingboten bestond de noodzaak van een kern van beroepskrachten. Bij 'de Noord' waren dat drie man: de schipper, stuurman en motordrijver, bij 'de Zuid' twee personen: de schipper en de 1e machinist.

Deze vaste bemanningen werden bij acties aangevuld met bekwame, tijdelijke krachten voor de dekdienst en de machinekamer. Om de Noord noemde men ze opstappers en 2e motordrijver, om de Zuid hanteerde men de titels stuurman, matrozen en 2e machinist. De schippers van beide maatschappijen droegen een goudkleurige stormband voor de pet. De vaste bemanningen van 'de Zuid' gingen geüniformeerd door het leven.

Beide maatschappijen fuseerden in 1991 en gingen verder onder de naam Koninklijke Nederlandse Redding Maatschappij. Hoewel het niet strookt met de feitelijke situatie in 1953, wordt in dit boek het begrip 'de reddingmaatschappij' gehanteerd. Bij verwijzingen naar een van beide maatschappijen worden de termen gebruikt, die algemeen voor de maatschappijen in zwang waren: 'de Noord' en 'de Zuid'.

VOORWOORD

De naoorlogse geschiedenis van ons land was nog maar zeven jaar oud toen het Zuidwesten van ons land in de nacht van 31 januari op 1 februari 1953 door een ongekende ramp werd getroffen: ongekend naar aard, omvang, gevolgen en dramatiek.

Een orkaan, die het Noordzeewater voor zich uitstuwde èn de stand van zon en maan, die juist deze nacht voor springtij zorgde, vormden een combinatie waartegen de zeedijken niet bestand bleken. De zee stortte zich brullend door de bressen die ze zelf geslagen had en nam in tomeloze drift en kracht bezit van stadjes, dorpen en polders.

Toen vele uren later het daglicht van zondag de 1e februari doorbrak, ontvouwde dat een ontstellend beeld van ramspoed: van ingestorte en instortende huizen en gebouwen, van een door storm en sneeuwbuien geteisterde watervlakte, van verdronken dieren en van op daken gevluchte mensen: mannen, vrouwen, kinderen, zieken en grijsaards, die mannen, vrouwen, kinderen, zieken en grijsaards uit hun midden mistten.

De orkaan had een voorgeschiedenis. Ze had de vorige dag al vreselijk huis gehouden op de Britse kust en had in het Iers kanaal tot een drama geleid. De veerboot 'Princess Victoria' was ten onder gegaan, wat aan 133 van de 176 opvarenden het leven kostte. Vervolgens was de orkaan in zuidelijke richting getrokken en had wederom schepen op haar weg gevonden die niet tegen haar meedogenloze geweld opgewassen bleken te zijn.

Reddingboten voeren uit en kwamen in situaties te verkeren die de ervaren bemanningen nog nooit eerder tijdens hun loopbaan hadden meegemaakt. Een aantal schepen liep op de kust; andere ontsprongen op een soms wel zeer opmerkelijke wijze het vooruitzicht van stranding. Eén schip hield een aantal reddingboten – die alle extreem slechte situaties meemaakten - dagenlang bezig. Het noodweer eiste in deze orkaandagen ook slachtoffers op zee.

Terwijl de ramp in Zuidwest-Nederland allerwegen aandacht opeiste en terecht ook kreeg, werden familieleden, vrienden en kennissen van zeevarenden in deze en de volgende dagen geconfronteerd met hun eigen ramp; met de angst of de wetenschap dat hun naasten niet in de huiselijke kring zouden terugkeren.

Hun schepen hadden niet altijd noodseinen uitgezonden, maar kwamen - ook na het bijtellen van tijd voor de begrijpelijke vertraging - niet in hun bestemmingshaven aan. Soms vele jaren later pas werd een wrak gelokaliseerd, kon het schip worden geïdentificeerd en kon de toedracht van het ongeluk worden gereconstrueerd.

Dit boek gaat over de orkaan, die op zaterdag 31 januari 1953 een vloedgolf naar de zuidelijke Noordzee stuwde en uiteindelijk haar weg versperd zag door de dijken in het Zeeuwse, Zuid-Hollandse en Noord-Brabantse deltagebied; zeeweringen die op vele plaatsen niet tegen het natuurgeweld opgewassen bleken. Het boek beschrijft de catastrofe buiten- en binnengaats.
De inhoud richt zich daarbij met name op de varende redders: op de bemanningen van kustreddingboten, die soms op zee al een strijd tegen de elementen hadden geleverd en zich enige uren later landinwaarts repten om daar te redden wat er te redden viel. Aandacht ook voor particuliere, varende hulpverleners: vissers, binnenschippers en punters uit Giethoorn.

Met name de reddingacties op en rond Schouwen-Duiveland worden beschreven, omdat dit geheel ondergelopen eiland niet aan een droge sector grensde en vrijwel uitsluitend op hulp via het water was aangewezen.

Dit boek geeft een impressie van reddingsacties tijdens en na de orkaan: een relatief onbekend en onderbelicht facet in de beschrijvingen van dit rampweekeinde. De schrijver is zich ervan bewust, dat – ook met het verschijnen van dit boek - vele voortreffelijk individueel, of groepsgewijs opererende hulpverleners onterecht onbenoemd zijn gebleven.

Delfzijl, oktober 2002
Hans Beukema

STORMVELD

In het laatste weekend van januari 1953 werden veel kustbewoners naar de zeedijken getrokken. Daar ontvouwde zich het indrukwekkende panorama van zeewater dat ver boven het normale peil tegen de dijken stond en van hoge golven, die door een harde westerstorm voortgejaagd werden.
Langs de hele Noordzeekust werden de buitendijkse gebieden door het zeewater overspoeld en in diverse havens verdwenen de kaden onder water. Op zichzelf waren dit geen verontrustende gebeurtenissen: hoge vloeden en de bijbehorende verschijnselen kwamen enige keren per jaar voor en hoorden eenvoudig bij het leven aan de zilte waterkant.
Er was echter zwaarder weer op komst en dat zou ons land binnen een half etmaal bereiken. Deze wetenschap leidde niet tot een algemeen alarm aan de kust; de heersende gedachte was, dat onze dijken hadden al heel wat zware stormen hadden doorstaan en ongetwijfeld ook de komende nacht aan de verwachtingen zouden voldoen.

Grote onrust bestond er de hele dag al wel bij de afdeling Stormwaarschuwingsdienst van het KNMI te De Bilt, waar men voor het middagtij de waarschuwing 'flink hoog water' had doen uitgaan. Nog veel grotere zorgen maakte men zich echter over het daaropvolgende hoogwater, dat zich gedurende de nacht aan de Nederlandse kust zou aandienen. Voor deze nachtvloed liet men de vrij unieke waarschuwing 'gevaarlijk hoog water' uitgaan.
Deze prognose had te maken met een stormveld, dat zich de vorige dag achter een diepe depressie tussen IJsland en Schotland had gevormd en zich nu in oostnoordoostelijke richting verplaatste. Een storm als deze was op zichzelf geen bijzonder verschijnsel voor de tijd van het jaar, maar de ontwikkeling ervan leidde tot oplettendheid en argwaan. Twaalf uur later was er al sprake van een zware storm uit noordelijke richting, die tot orkaankracht uitgroeide. Op zaterdagmiddag 31 januari maakte het Noorden van Schotland kennis met een van de zwaarste orkanen uit haar geschiedenis, waarbij windsnelheden tot 125 km per uur werd gemeten.
De gevolgen bleven niet uit. Op zee volgden de noodmeldingen van schepen elkaar in een ras tempo op.
Op de kust van het eiland Lewis - Hebriden - strandde het 7131 ton metende Britse schip 'Clan Macquarrie'. De bemanning van 66 personen kon met wippertoestellen van boord worden gehaald. Een algemeen bericht aan de scheepvaart luidde dat het Britse lichtschip 'Spurn' in de richting zuidoost

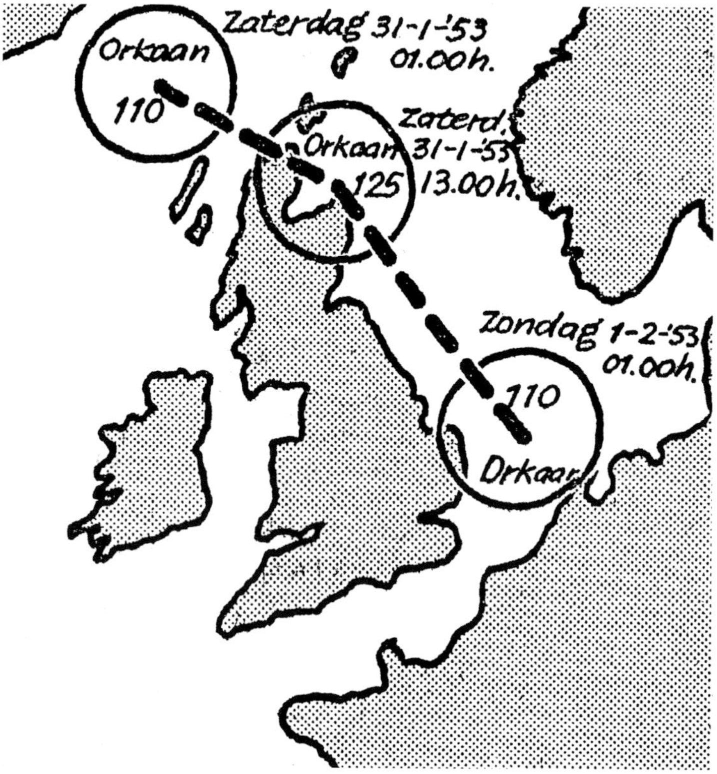

afgedreven was. Kennelijk verkeerde men in het ongewisse over haar positie, want tegelijk werd de scheepvaart verzocht uitkijk naar haar te houden.
Een Panamees stoomschip, de 'George', was door haar kolenvoorraad heen en vroeg op 12 mijl ten oosten van Edingburgh om hulp. De 2000 ton metende Deense 'Knud' werd 14 mijl oostelijk van Hartlepool vermist. Tezelfdertijd luidde een noodsein van de Britse 'Bestwood' dat ze zestig mijl noordoostelijk van de Humber met zware slagzij te kampen had. Ter hoogte van Hull meldde de Zweedse 'Selene' dat ze stuurloos was. Opmerkelijke scheepsongevallen deden zich voor in een marinedok in Sheerness, waar een duikboot zonk en een fregat omsloeg.

De koers van de orkaan.

De 'Princess Victoria'

De reddingstations van de Royal National Lifeboat Institution verkeerden bij de nadering van het stormveld in de hoogste staat van paraatheid. De eerste reddingacties van de 31e januari droegen vooreerst nog een bescheiden karakter. De reddingsboot van Lerwick ging om 10.15 uur naar zee om assistentie te verlenen aan het vissersschip 'John West'. Deze dienst bleef beperkt tot escorteren. Een half uur later ging de reddingboot van Lytham St. Annes uit om naar een roeisloep uit die plaats te zoeken. De boot en beide opvarenden werden behouden binnengebracht.
Ondertussen groeide de zorg over de 'Princess Victoria', een veerboot van de British Transport Commission, die de verbinding tussen het Schotse Stranraer en de

Noord-Ierse havenplaats Larne onderhield. Ze was onder klasse gebouwd voor de 'Irish Channel Service' en in maart 1947 in dienst gesteld. Het schip kon 1500 passagiers vervoeren en beschikte over slaapaccommodaties voor 54 personen.
De 'Princess Victoria' was een kopie van haar revolutionaire voorgangster met dezelfde naam, die in 1939 als eerste Britse ro-ro veerboot in dienst was genomen, maar twee maanden later al door de marine werd gevorderd. De ironie wil, dat ze in 1940 voor de Humber op een mijn liep, terwijl ze bezig was mijnen te leggen.

De 'Princess Victoria' bij haar tewaterlating.

De naoorlogse, zes jaar oude 'Princess Victoria' was op 31 januari voor haar dagelijkse routinevaart om 7.45 uur van Stranraer naar het Noord-Ierse Larne vertrokken. Dat was drie kwartier later dan gebruikelijk, omdat de walkraan wegens de harde wind niet kon worden gebruikt en de circa veertig ton lading per horizontaal vervoer aan boord moest worden gebracht. Het aantal passagiers bedroeg deze reis slechts 127 personen, de bemanning telde 49 koppen.
Al direct na haar vertrek werd de 'Princess Victoria' bestookt door harde buien uit noordwest en een zware zee. Hagel- en sneeuwbuien volgden elkaar op en brachten het gemiddelde zicht van 5 à 6 mijl soms terug tot nul.
Volgens latere reconstructies moet kapitein James Ferguson, kort nadat het schip het relatief beschutte Loch Ryan achter zich had gelaten, besloten hebben de reis af te breken en terug te keren naar Stranraer. Kort hierna deed zich een gebeurtenis voor die een ramp zou inleiden. Een zware zee brak tegen het achterschip en drukte de hekdeuren van het autodek uit hun verband.
De tweede stuurman en vier matrozen, die de zaak probeerden te klaren, kregen de deuren niet meer hermetisch gesloten omdat de stutten waren verbogen. De omstandigheden waren op dat moment zo slecht dat de mannen herhaaldelijk overboord gespoeld dreigden te worden.
Toen nog enige, elkaar snel opeenvolgende zeeën tegen en over het achterschip

braken, werden de bakboord- en stuurboorddeuren vrijwel geheel opengebroken, waardoor het zeewater ruim baan naar het autodek kreeg. Het schip kreeg al spoedig zo'n 10 graden slagzij over stuurboord.
Om 09.46 uur - het was nog maar twee uur na haar vertrek van Stranraer – kwam de 'Princess Victoria' met een radiobericht in de lucht, dat werd voorafgegaan door XXX, ofwel 'gevaarlijke situatie', maar dus geen direct noodsein was. De marconist meldde hierin aan het Schotse kuststation Portpatrick Radio: "Bevinden ons buiten de monding van Loch Ryan. Liggen bijgedraaid. Hebben schip niet onder controle. Verzoeken onmiddellijke assistentie van een sleepboot."
Uit verklaringen van overlevenden is te reconstrueren dat kapitein Ferguson op dit moment al een aantal pogingen ondernomen had om de situatie meester te worden. Om verder binnendringen van water via het achterschip te voorkomen, had hij het schip met de kop op zee gebracht met de bedoeling om achteruit varend weer in de relatieve beschutting van Loch Ryan te komen, een afstand van zo'n vier mijl. De veerboot had een koproer, dat bij het achteruit varen in havens gebruikt werd. Dat roer had hij daarbij nodig.
Op zee was het echter geborgd. Drie bemanningsleden werden naar het voordek gestuurd om de borgpen te verwijderen. Terwijl zware zeeën hen overboord dreigden te slaan, begonnen ze daar een worsteling met de borgpen, maar kregen de klus niet geklaard en werden teruggeroepen.
Kapitein Ferguson besloot hierna tot het enige alternatief dat hem nog restte: de reis voortzetten, de zware storm trotseren en 'de overkant' bereiken.

De reddingboten tastten steeds mis.

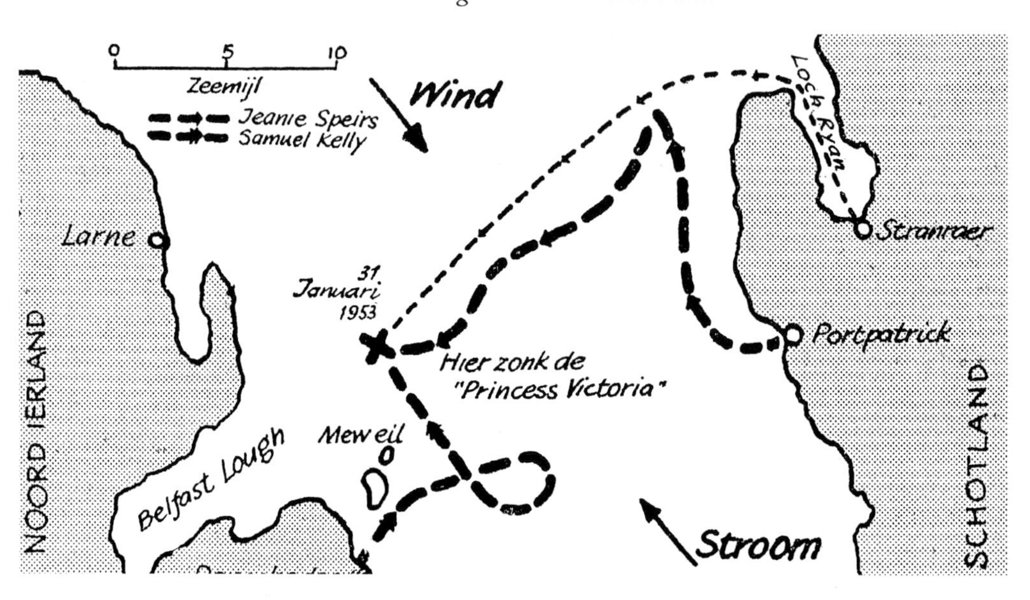

De officieren en een deel van de bemanning van de 'Princess Victoria'.

Redders tasten steeds mis

Een uur later, om 10.45 uur, kwam de 'Princess Victoria' weer met een radiobericht voor het kuststation Portpatrick in de lucht. Het bericht werd nu voorafgegaan door de letters SOS, een noodsein, dus. De 'Princess Victoria' vroeg nu om de onmiddellijke assistentie van een reddingboot.
Reconstructies leidden naderhand tot de veronderstelling, dat de lading door de slagzij moet zijn losgebroken, waardoor een grotere slagzij ontstond. Samen met het binnendringen van water leidde dit tot een slagzij van 35 graden. Radar en gyrokompas vielen uit, waardoor geen exacte posities meer afgegeven konden worden.
Het noodsein van de 'Princess Victoria' vond onmiddellijk gehoor. Een kwartier later was de reddingboot 'Jeanie Speirs' van Portpatrick buitengaats en zette koers naar de positie die de kustwacht gaf, vier mijl noordwestelijk van Corsewall Point. De omstandigheden waren moeilijk: er stond een zware storm uit het noorden, die zou toenemen tot orkaankracht en er liep een ruwe en dooreenlopende zee. Voor de redders was dit het begin van wat een heel lange actie zou worden onder extreem slechte omstandigheden.
Na bijna twee uur varen in een heksenketel van wind en water arriveerde de reddingboot op de aangegeven positie, maar trof daar niets aan. Aannemende dat

Reddingboot 'Sir Samuel Kelly'.

de 'Princess Victoria' onder de invloed van de storm naar het zuiden werd weggezet, verlegde schipper William McConnell zijn koers in zuidelijke richting. Kort daarop, het was nu 12.52 uur, liet de 'Princess Victoria' zich weer over de radiotelefonie horen. Nu met een bericht voor zowel het kuststation Portpatrick Radio als voor de Britse torpedojager H.M.S. 'Contest', die ook op de noodberichten toesnelde.
De marconist van de 'Princess Victoria' deelde mee dat de toestand kritiek was en dat de stuurboord machinekamer water maakte. Ruim een uur later, om 13.08 uur, meldde het in nood verkerende schip dat ze gestopt lag en tot haar dek in zee lag. Zeven minuten later kwam het bericht: "We treffen voorbereidingen om het schip te verlaten."
Naar later opgemaakt kon worden ging de 'Princess Victoria' ongeveer een uur na deze laatste melding ten onder, kort na twee uur 's middags. Volgens de overlevenden droegen alle opvarenden zwemvesten en vonden vrouwen en kinderen een plaats in de reddingsloepen. Kapitein James Ferguson "bleef", aldus later afgelegde verklaringen, "een toonbeeld van rust".

Op de melding van 13.15 uur, waarin de 'Princess Victoria' meedeelde dat ze gestopt lag en men het schip ging verlaten, trad de kustwacht van het Noord-

Ierse Bangor in verbinding met het reddingstation Donaghadee. In tegenstelling tot wat tot dusver aangenomen was moest het schip niet onder de Schotse, maar onder de Noord-Ierse kust zitten. Een kwartier later was de reddingboot 'Sir Samuel Kelly' buitengaats. De weersomstandigheden werden in het reddingrapport als volgt samengevat: zeer zware storm en een erg ruwe zee.
De redders waren drie kwartier onderweg, toen de kustwacht om 14.30 uur rapporteerde dat de 'Princess Victoria' zich zes mijl noordoost ten noorden van Mew Island bevond. Uit latere reconstructies bleek, dat de 'Princess Victoria' rond dit tijdstip onder de golven moet zijn verdwenen.
Op dit laatste bericht verlegde de reddingboot haar koers naar de nieuwe positie, maar moest die even later opnieuw corrigeren, omdat de veerboot zich volgens nieuwere gegevens vijf mijl zuidelijker, ten oosten van Copelands zou bevinden. De mannen van Donaghadee stelden koers op de laatst opgegeven positie, maar daar aangekomen troffen ze slechts een lege zee aan met onheilspellend hoge, voortjagende golven.
Een latere evaluatie leerde, dat, als de reddingboot niet van de eerste koers afgeweken was, ze rechtstreeks op de rampplek zou zijn gestuit. Maar dat was wijsheid achteraf.
Geconfronteerd met weer een onjuiste positie, besloot schipper Hugh Nelson het marinevaartuig H.M.S. 'Contest' te volgen dat ook op dezelfde positie was verschenen, maar plotseling de steven wendde en met hoge vaart in zuidzuidwestelijke richting wegvoer. Vrijwel direct hierop meldde het Britse stoomschip 'Orchy' via de radiotelefonie aan de redders dat zij zich in de buurt van overlevenden bevond, in een positie vier mijl noordnoordoost van Mew Island.

Dat het vrachtschip 'Orchy' overlevenden aantrof, is geen toeval. Met het veetransportschip 'Lairdsmoor', de trawler 'Eastcotes' en de kusttanker 'Pass of Drumochter' lag ze onder de kust bij de monding van Belfast Louch voor anker om beter weer af te wachten. Toen de kapiteins uit het noodverkeer concludeerden dat zich in hun nabijheid een ramp had voltrokken, gingen ze op eigen initiatief anker-op en formeerden ze een zoeklinie, waardoor een van de schepen redelijkerwijs op de plaats van de ramp moest stuiten. Deze methode bleek effectief. Het was de 'Orchy' die het rampgebied binnenliep en overlevenden aantrof. Op de onheilsplaats liepen op dat moment zeeën van zo'n vijftien meter hoogte.
De 'Orchy' zond een noodkreet uit om hulp en vanaf haar dek werden reddingboeien, drijfbare materialen en lijnen naar beneden gegooid. Het bleek echter onmogelijk om drenkelingen bij het vrijwel lege en daardoor hoog uit het water oprijzende vrachtschip omhoog te trekken. Het was een traumatische ervaring die de zeelui hun leven lang met zich mee zouden dragen.
De melding van de 'Orchy' voerde de andere schepen en de zoekende reddingbo-

Schipper Hugh Nelson.

ten deze dag voor de eerste keer naar de juiste plaats. De 'Pass of Drumochter' verging het bij de reddingpogingen niet anders als de 'Orchy'. Pogingen om een reddingsloep langszij te nemen mislukten. Wel zag men kans om met een lijn verbinding met de sloep te houden. Om enig venijn uit de ruwe zee te halen, liet de kapitein olie storten. Zo werd gewacht op hulp.

Die hulp kwam om 15.15 uur met de reddingboot 'Sir Samuel Kelly' van Donaghadee. Het verschijnen van de boot in de helse zee omschreef een overlevende later als het mooiste beeld dat hij ooit aanschouwd had. De reddingboot kwam direct tot actie waarbij, volgens een gered bemanningslid van de 'Princess Victoria', uitmuntend zeemanschap getoond werd. De mannen redden 29 personen uit een reddingsloep, één persoon van een vlot en één persoon uit een andere reddingsloep.

Veel later arriveerde de reddingboot van Portpatrick, die het langst van allen buitengaats was en de redding van twee personen op haar naam bracht.
De 'Sir Samuel Kelly' zette haar zoektocht nog tot vijf uur 's middags voort, maar troffen geen andere overlevenden meer aan. Schipper Hugh Nelson besloot de geredden in veiligheid te brengen en keerde naar Donaghadee terug waar de boot om 17.45 uur binnenliep.

De bemanning van de trawler 'Eastcotes' - welk schip niet de handicap van een hoge scheepsromp had - wist een aantal drenkelingen met bootshaken aan boord te trekken. Onder hen bevond zich slechts één overlevende. Helaas zou het aantal geredden daarna niet meer oplopen. Een droevige constatering is, dat onder de overlevenden geen enkele vrouw was. Vrouwen en kinderen waren in de boten gegaan, die het direct ernstig te verduren kregen tegen de romp van de 'Princess Victoria', voordat het schip kapseisde...

Trieste hoofdrol voor Donaghadee

Er waren ondertussen meer reddingboten buitengaats. Om 14.32 uur was op verzoek van kustwacht Tara ook de reddingboot 'Constance Calverley' van Cloughey te hulp geroepen en gelanceerd. Ook deze boot werkte zich tijdens het hoogtepunt van de storm naar het aangegeven zeegebied, waar ze tot zes uur 's avonds, samen met de collega's van Portpatrick zoekslagen maakte. De redders troffen echter geen overlevenden meer aan.
De mannen van Cloughey loodsten hun Schotse collega's van Portpatrick – die al vanaf elf uur 's morgens in touw waren en twee geredden aan boord hadden – vervolgens naar het Noord-Ierse Donaghadee, waar de 'Jeanie Speirs' tegen half acht 's avonds binnenliep. De boot was haast negen uur onder extreem slechte omstandigheden buitengaats geweest. De 'Constance Calverley' van Cloughey zette de reis naar haar eigen thuisbasis voort, waar ze een uur later, na een 'vergeefse tocht' terugkeerde.
Een vergeefse tocht was er ook voor de reddingboot 'William and Laura' van Newcastle, Co Down, die om 16.20 uur op verzoek van kustwacht Kilkeen naar zee was gegaan. Ook deze boot moest onverrichterzake terugkeren en keerde na ruim zes uur op zee te zijn geweest om 22.30 uur op haar station terug.
Het late tijdstip van uitvaren maakte, dat deze boot niet direct aan de ramp werd gerelateerd. Hieruit is wellicht te verklaren dat deze boot en haar bemanning, die zes uur onder barre omstandigheden buitengaats waren, niet in aandacht en dankbetuigingen werden betrokken.
Twee uur nadat de Schotse redders voor een tijdelijk asiel in het Noord-Ierse Donaghadee waren binnengelopen, werden hun collega's uit die haven al weer tot actie geroepen. Om 21.35 uur werd bericht ontvangen van kustwacht Bangor dat de trawler 'Eastcotes' in de Belfast Lough bij de boei North Briggs voor anker was gegaan en een overlevende en zes stoffelijke overschotten aan boord had.
Tien minuten later was de reddingboot van Donaghadee al weer buitengaats. Het was stormweer uit noord ten westen. Over de radiotelefonie vroeg de reddingbootschipper zijn collega van de trawler anker-op te gaan en de beschutting van de kust van Antrim tussen Whitehead en Carrickfergus op te zoeken. De schipper voldeed aan het verzoek en in de betrekkelijke beschutting van de kust nam de reddingboot de overlevende en de zes stoffelijke overschotten over, evenals zeven zakken post die uit zee waren opgepikt. Hierna keerde de 'Sir Samuel Kelly' naar Donaghadee terug, waar ze op de 1e februari 1953 om 01.30 uur binnenliep.
Nog was de bemanning geen rust vergund, want nog geen zes uur later was de reddingboot al weer op zee om onder inmiddels verbeterde omstandigheden, goed zicht en met assistentie van een vliegtuig opnieuw naar overlevenden te zoeken. Ze zocht de hele dag tot donker worden en haalde twaalf levenloze licha-

drie koffers uit zee. Na ruim twaalf uur op zee te zijn geweest, keerde de boot om 19.30 uur met haar droeve last in Donaghadee terug.
Hun collega's van Portpatrick waren dezelfde ochtend al weer vertrokken voor de terugreis naar hun reddingstation aan de Schotse westkust, waar ze zich om 14.20 uur terugmeldden.

In de geest van de tradities ter zee

De ramp met de 'Princess Victoria' was voor de Britse koopvaardij de grootste scheepsramp in vredestijd in de afgelopen vijfentwintig jaar. De minister van transport gelastte een onderzoek door de Britse Merchant Shipping Act, de evenknie van de Nederlandse Raad voor de Scheepvaart. Dit onderzoek vond plaats in het County Court House, Crumlin Road, Belfast en duurde van 23 maart tot 9 mei 1953. Het rechtscollege werd gevormd door rechter J.H. Campbell, kapitein Charles V. Groves, professor A.M. Robb en de heer J. Shand.
De rechtbank kwam tot de conclusie dat het verlies van de 'Princess Victoria' te wijten was aan haar onzeewaardige toestand, die door twee omstandigheden veroorzaakt was:
1. De onvoldoende kwaliteit van de deuren in het achterschip, die het onder de druk van de golven begaven en daarmee het binnendringen van water op het autodek mogelijk maakten.
2. De onvoldoende mogelijkheden om het water op het benedendek weg te werken, wat de slagzij ten gevolge had en deed toenemen, resulterend in het kapseizen en de ondergang van het schip.
Het rapport werd op 11 juni 1953 openbaar gemaakt. In het feitenmateriaal werd nadrukkelijk gewag gemaakt van de "waardering voor de waardevolle en niet aflatende inzet van schipper Hugh Nelson en zijn bemanning van de reddingboot van Donaghadee".
De rechtbank uitte eveneens haar overtuiging, dat "de moeite die het kost om reddingboten naar de plaats van de ramp te leiden allerwegen aandacht verdient. De Raad is zich ten volle bewust van de moeilijkheden en omstandigheden en stelt met voldoening vast dat de NRLI dit onderwerp reeds enige tijd geleden met voorrang in behandeling heeft genomen."
De reddingmaatschappij verleende later dat jaar haar bronzen medaille aan de schippers Hugh Nelson en William McConnell van respectievelijk Donaghadee en Portpatrick voor de moed, het vakmanschap en de initiatieven die ze aan de dag hadden gelegd. Getuigschriften werden uitgereikt aan de machinisten van de beide reddingboten; James Armstrong van Donaghadee en James Mitchell van Portpatrick.Verder was er een geldelijke beloning van £ 5 voor de bemanningen van Portpatrick, Donaghadee en Cloughey. In tal van kranten verschenen

Reddingboot 'Lloyds' van Barra Island.

artikelen over de acties en de inzet van de reddingbootbemanningen. In een radiorede drukte de minister-president van Noord-Ierland, Lord Brookeborough zijn medeleven en waardering ondermeer uit met de volgende woorden:
"Men kan zich alleen maar in superlatieven uitdrukken over de hulp die door de Royal National Lifeboat Institution is verleend. Op het hoogtepunt van de storm zochten de reddingbootbemanningen van Donaghadee, Cloughey en Portpatrick de zee af naar overlevenden en deden ze alles wat binnen hun vermogen lag. Ook de doelgerichte en met grote inzet uitgevoerde assistentie van marine, luchtmacht en koopvaardij tijdens de reddingsoperaties voltrok zich in de ware geest van de waardevolle tradities ter zee. De hoogste lof komt toe aan allen die bij de reddingsacties betrokken waren."

Bittere smaak

Ondanks deze waarderende woorden en huldeblijken liet de ramp met de 'Princess Victoria' bij de betrokkenen van de kustwacht en de reddingdiensten een heel bittere smaak na. Hoe had het kunnen gebeuren dat de 'Princess Victoria' - die zich de hele dag op een overzichtelijk aantal mijlen uit de kust had bevonden - haar urenlange strijd alleen had moeten voeren, verstoken van enige hulp van reddingboten, van sleepboten, of zoekslagen door een reddingvliegtuig?
Volgens onderzoeker en auteur Jack Hunter ging deze dag alles fout wat maar fout kon gaan. Zo werd uit het eerste XXX-bericht van de 'Princess Victoria' opgemaakt dat het schip gestopt lag en niet meer over motorvermogen beschikte. Dat was niet het geval. Nadat de pogingen om naar Loch Ryan terug te keren

waren mislukt, had kapitein Ferguson besloten de storm letterlijk het hoofd te bieden en zijn schip - dat door een groeiend aantal tegenvallers de volgende uren steeds meer slagzij kreeg - voor de Noord-Ierse oostkust te brengen.
Door de stapelende tegenvallers mondde zijn besluit uiteindelijk uit in een race van vijf mijl per uur tegen zowel de klok als tegen het binnendringende water; een wedloop die 's middags rond één uur op slechts circa vijf mijl afstand van de reddende kust moest worden gestaakt.
Merkwaardigerwijs ging men er aan de wal steeds vanuit dat de 'Princess Victoria' op drift was. Op basis daarvan werd de vermoedelijke positie van het schip bepaald. De radioberichten van de 'Princess Victoria' en de radiopeilingen aan de wal duidden weliswaar op andere posities, maar die werden als onmogelijk bestempeld. Door deze verkeerde inschattingen werden de reddingboten steeds naar verkeerde posities gestuurd. Pas toen de 'Princess Victoria' landverkenning meldde, realiseerde men zich de fout.
Normaliter zouden in deze regio drie voor hun taak berekende zeeslepers beschikbaar zijn geweest. Juist dit weekeinde waren twee sleepboten voor een klus naar elders vertrokken en was de derde voor assistentie aan een ander schip uitgevaren. Omdat de 'Princess Victoria' in eerste instantie een XXX-bericht uitzond werd daaruit geconcludeerd dat de toestand niet ernstig was. Toen het XXX-bericht gevolgd werd door SOS, was deze sleepboot te ver verwijderd om nog iets te kunnen betekenen. Een reddingvliegtuig, dat na de ramp over het zoekgebied daverde, onderstreepte het belang dat een verkenningsvlucht eerder die dag zou hebben gehad.

Twee slachtoffers onder redders

De bemanningen van de reddingboten, die bij de 'Princess Victoria' betrokken waren, kenden geen verliezen in hun eigen rijen, maar verloren diezelfde dag wel twee van hun collega's. De slachtoffers waren de tweede schipper Alexander McNeill en de tweede machinist John McTaggert van de reddingboot 'Charlotte Elizabeth' van station Islay op de Inner Herbrides.
De reddingboot 'Lloyds' van station Barra Island, op de Outer Herbrides, was in de vroege ochtenduren al in zware storm naar zee geweest op een melding van de Britse stoomtrawler 'Michael Griffiths', thuishaven Fleedwood, dat ze water maakte en geen stoomdruk meer had. Volgens opgave moest het schip zich zo'n zeven tot acht mijl ten zuiden van Barra Head bevinden. Met ondersteuning van een vliegtuig maakte de reddingboot zoekslagen maar trof op en bij de opgegeven positie niets aan. De redders keerden daarop naar hun station terug, waar ze om half zeven 's morgens weer binnenliepen.
Later op de dag werd ook de reddingboot 'Charlotte Elizabeth' van het station Islay van haar mooring weg geroepen. Dat was om 17.45 uur, nadat kustwacht

Kilchoman had gemeld dat zich op drie mijl ten zuiden van Jura een vaartuig bevond dat noodseinen gaf. Er stond een zeer ruwe zee en een zware noordnoordoostelijke storm. Onder moeilijke omstandigheden voerde de reddingboot op de aangegeven positie een zoekactie uit, maar die leverde niets op. Zo'n vijf uur na haar vertrek keerde de reddingboot onverrichterzake op haar station terug.
Al spoedig na haar binnenkomst werd de reddingboot echter voor de tweede keer opgeroepen. Het hulp vragende schip had nu een naam; het was de trawler

Reddingboot 'Charlotte Elizabeth'.

'Michael Griffith', waarvoor ook de 'Lloyds' van Barra Island 's morgens al in touw was geweest. De inmiddels bijgebunkerde reddingboot koos tegen middernacht weer zee.
Onderweg besloten de bemanningsleden McNeill en McTaggert de machinekamer op te zoeken om hun kleren te drogen. Toen ze echter niet terugkwamen, ging een collega poolshoogte nemen en trof de beide mannen bewegingloos aan. De reddingboot zette hierop koers naar Colonsay, waar een dokter bij een van

reddingboot zette hierop koers naar Colonsay, waar een dokter bij een van de mannen de dood vaststelde. Voor de ander kwam medische hulp te laat; kort na aankomst van de boot overleed ook hij. Met haar twee overleden bemanningsleden keerde de reddingboot naar haar station terug waar ze op 1 februari om 14.15 uur arriveerde. De in 1919 gebouwde stoomtrawler 'Michael Griffith', die de inzet van drie reddingsacties was geweest, ging met haar hele bemanning van 15 personen ten onder.

In memoriam.

Op 6 maart 1953 werd door Oban Sheriff's Court, in de persoon van de heer R. Johnston Macdonald, een onderzoek naar de oorzaak van de dood van de beide redders ingesteld. Er volgde een officiële uitspraak die "dood door vergiftiging door koolmonoxide" luidde. Tweede machinist McTaggart liet zijn moeder, een weduwe, na. Tweede schipper McNeill liet een vrouw, een zoon en een stiefzoon na.

De orkaan trok met tomeloze kracht in zuidelijke richting en bracht daardoor op zaterdag 31 januari in de namiddag en avond ook diverse reddingdiensten in Zuidoost-Engeland in het geweer.
Om 14.29 uur voer de reddingboot van Southend-On-Sea uit en bracht de visserijketch 'Wanderlust' buiten gevaar. Nog geen uur later vertrok de reddingboot opnieuw en bracht ze het vissersschip 'Patience' uit Londen in veiligheid. In de late avond ging de boot van Southend-On-Sea naar zee voor de tanker 'Kosmos', thuishaven Sandefjord. De dienst kon beperkt blijven tot stand-by blijven.
Ondertussen ging de dramatisch verlopen zaterdag over in zondag 1 februari. 's Ochtends om 04.45 uur werd de reddingboot van Dover gealarmeerd voor het Madrileense stoomschip 'Castillo Tordesillas', dat geassisteerd werd tot ze buiten gevaar was.
Ongebruikelijke acties waren er die zondag voor de reddingboten van Clackton-On-Sea aan de Engelse zuidoostkust en die van Southend-On-Sea aan de

vijfentwintig personen in veiligheid, die in Foulness door het water ingesloten waren geraakt.
Deze twee acties van reddingboten geven slechts een zeer onderbelicht beeld van wat zich deze nacht in werkelijkheid in de Engelse kustgebieden afgespeelde. Dijkdoorbraken en overstromingen hadden hun tol geëist. Een voorlopige inventarisatie die vier dagen later werd opgemaakt, maakte melding van 242 slachtoffers en een nog niet te schatten aantal vermisten. Het aantal daklozen bedroeg circa 20.000 personen.
Op het vasteland van Europa werd tezelfdertijd een inventarisatie gepleegd van een onvoorstelbaar omvangrijke ramp, die zich diezelfde ochtend, vlak na middernacht aan de andere kant van de Noordzee, in het rivierengebied van Zuidwest-Nederland had voltrokken...

NEDERLAND

In Nederland, ver van de kust, bij de afdeling Stormvloedwaarschuwingsdienst van het KNMI in De Bilt volgden de twee medewerkers van de weekenddienst die zaterdag de 31e januari het verloop van het stormgebied nauwlettend. Zij achtten de ontwikkelingen en de bijkomende verschijnselen zeer zorgwekkend en trokken daaruit een alarmerende conclusie.
De orkaan was nu richting Duitse bocht afgezwenkt, waardoor de wind op de noordelijke Noordzee noordnoordwest was geworden. Dat betekende dat het stormveld een lange 'aanloop' over zee kreeg en nu een groeiende berg water voor zich uitstuwde, richting zuidelijke Noordzee, richting de Nederlandse kust.
Een hoogst ongelukkige complicatie was dat het komende nachttij twee dagen na volle maan zou zijn, wat springtij betekende. Deze periodiek hoogste waterstand zou deze nacht dus worden aangevuld met de extra waterstuwing, die veroorzaakt werd door de orkaan.
Het KNMI besloot voor het nachttij de zeer uitzonderlijke melding 'gevaarlijk hoog water' te laten uitgaan. Het radioweerbericht van zaterdagmiddag zes uur luidde: "Boven het noordelijke en westelijke deel van de Noordzee woedt een zware storm tussen noordwest en noord. Het stormveld breidt zich verder uit. Verwacht mag worden, dat de storm de gehele nacht zal voortduren. In verband hiermede werden vanmiddag de groepen Rotterdam, Willemstad en Bergen op Zoom gewaarschuwd voor gevaarlijk hoog water."

In de loop van de zaterdag nam de wind in kracht toe en in de vroege middag diende het verwachte stormweer zich in Nederland aan. De uren daarop groeiden deze eerste stormverschijnselen uit tot zware storm en orkaan. Om elf uur 's avonds was er sprake van vliegend weer. De lichtschepen op de Noordzee meldden windkracht 11 en 12, kuststations meldden windstoten van 135 km/u uit richting noordnoordwest. In Hoek van Holland was het die avond om elf uur laagwater, maar het water stond even hoog als bij een normale vloed; het water viel niet weg.
Dat merkten die middag de opvarenden van de viskotter OD 13 van Ouddorp. Ze konden hun schip niet vrij van de kust houden en verdaagden iets ten zuiden van Noordwijk aan Zee in de branding. Om ongeveer zes uur 's avonds sloeg het schip op het strand. De bemanning bestond uit twee Ouddorpers en een Scheveninger. Omdat het eb was en de schipper over een uurtje hoog en droog op het Noordzeestrand dacht te staan, bleven hij en zijn bemanning aan boord. Voor de eerste keer in hun leven maakten ze echter mee, dat het water over de eb

De OD 13 luidde het rampweekeinde in.

niet zakte, maar bleef stijgen! Ondertussen werden de weersomstandigheden in een ras tempo slechter. De toestand werd uiteindelijk onhoudbaar, waarop de mannen besloten van boord te gaan. Het was een juiste beslissing, want over de situatie van enige uren later luidt een rapportage: "Het scheepje dat hoog langs de duinen wordt voortgeslagen, dreigt verloren te gaan."
Bij Terheyden liep de Nederlandse kustvaarder 'Elisabeth' op de kust. Het kleine schip had in het toenemende geweld van de storm geen haven meer kunnen bereiken en toen de toestand onhoudbaar werd, besloot de kapitein het schip op het strand te zetten. De stranding verliep niet zonder kleerscheuren, maar de kapitein en zijn drie bemanningsleden wisten het vege lijf te redden.

De 'Maria Carolina Blankenheym'

In de vroege zaterdagavond werden de 'Maria Carolina Blankenheym' van station Veere, en de 'Koningin Wilhelmina' van Stellendam tot actie geroepen. Een Fins stoomschip, genaamd 'Bore VI' zat ten westen van Schouwen in moeilijkheden. De vaste bemanning van 'de Blankenheym' bestond uit schipper Jan Minneboo en 1e machinist Piet Oele. Ze kregen versterking van hun vertrouwde groep opstappers: stuurman – en broer van de schipper - Kobus Minneboo, 2e machinist Nol Huybrechts en de matrozen Jo van de Stel, Leen Potters en Cies Minneboo. Er waaide op dat moment een noordwester storm, kracht 10, die in kracht toenam.
Cies Minneboo: "Ome Jan was schipper, vader was stuurman. Ze kenden het water daar op hun duimpje en ze zochten het wel zo uit dat we niet in de grondzeeën kwamen. Zo'n reddingboot kon heel wat aan, hoor. We draaiden eerst langs het Noordland naar buiten, naar de Banjaard, waar die Fin in nood zat. Maar dat was geen doen. We zijn toen via de Roompot en het Krabbegat gegaan. De schipper en stuurman hadden onderling natuurlijk steeds overleg. Maar daar kregen wij niet zoveel van mee, want het was houwen en keren aan boord. We kregen ook steeds verwarrende berichten binnen over die Fin, die in nood zat. Die zou al gezonken zijn of op het strand zitten.
Maar in welke volgorde zich dat allemaal afspeelde, weet ik niet meer. Het staat

me nog wel duidelijk bij dat we geen bliksem zagen, alleen maar nacht en die dikke zeeën. Geen vuurtje, geen vuurtoren, niks zagen we. Ik weet nog dat we er van overtuigd waren dat de vuurtorens buiten werking waren, die van Schouwen zéker. Of dat ook zo was, daar heeft niemand van ons zich later ooit meer in verdiept, denk ik, want de ene tragedie volgde op de andere in die dagen."

Boete Minneboo, broer van Cies, was twee periodes opstapper op de reddingboot, direct na de oorlog en zeven jaar vanaf 1957. Over de toestand in de zeegaten tijdens zwaar weer herinnert hij zich:

"Als je met zulk slecht weer het zeegat uitging in stikkedonker en het was hoogwater geweest, dan had je dus een berg water tussen de eilanden en dat moest allemaal terug naar zee. Dan liep er een loei van een eb tegen de storm in en dan liepen er zeeën, dat was verschrikkelijk. De machinisten die dan beneden zaten, heb ik nooit benijd, dat was geen leuke baan, hoor, met die kolkende zee. Aan dek gaf ik nergens om, maar beneden was het toch wel een ander verhaal.

Het was stikkedonker, je zag niks, en dan zag je in het schijnsel van het toplicht die zeeën voor je opdoemen. Het waren geweldig grote jongens, die op je af kwamen schuiven. Met een vliegende eb en die dikke zeeën op de kop kon je

Reddingboot 'Maria Carolina Blankenheym'.

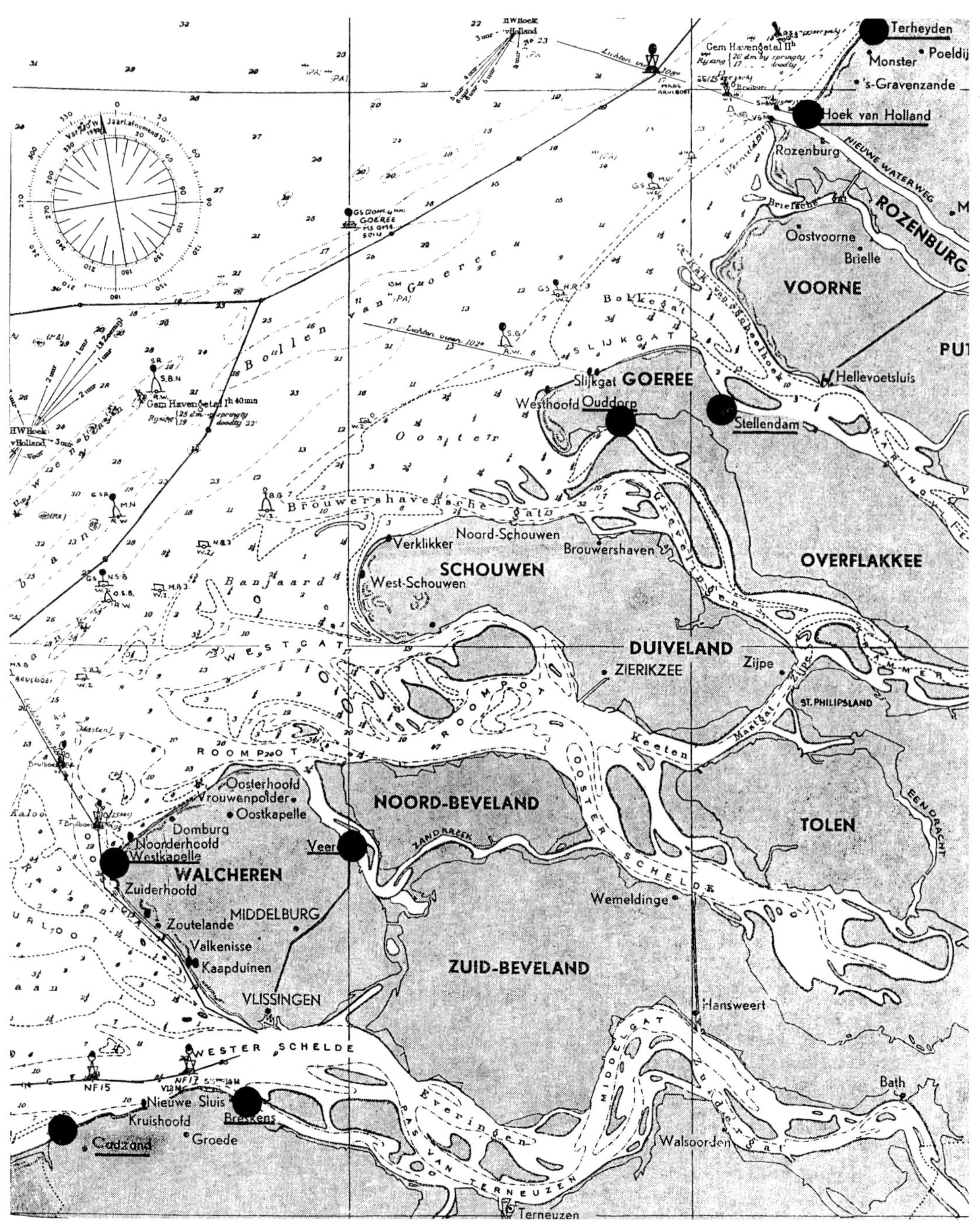

De zeegaten in Zuidwest-Nederland.

Machinist Gerrit Roon.

geen snelheid maken, dus we lieten ons als het ware door de eb het zeegat uitdrijven. En als je helemaal buiten was - maar daar was het ook god slecht natuurlijk - werd de zee weer een beetje makkelijker. In de rampnacht was ik er niet bij, maar een paar jaar later, in 1958, moesten we er voor de sleepboot 'Ebro' uit. Die zat ook tegen de Banjaard. Het ging toen net zo tekeer als in de rampnacht. Vreselijk slecht weer.
Toen we bij die sleepboot kwamen, lag ie zich al in het zand in te graven. We zijn vijf keer langszij gekomen en in de laatste run kwamen de marconist en de kapitein over. De eersten haalden we van dek, maar die laatste twee namen we van de brug over. Zo snel groef dat schip zich in. De hele bemanning, negentien man, hebben we van boord gehaald.
Ik vond het mooi om opstapper te zijn. De hele bemanning van de boot kwam eigenlijk uit de visserij. We hebben trouwens ook wel es een opstapper van de wal gehad en dat was ook goed. Op de reddingboot vormde je met elkaar een hechte eenheid en je vertrouwde volkomen op elkaar. Nooit beleefd dat iemand dacht van waarom zus en waarom niet zo."

Dit was 1958; we gaan terug naar 1953. Een ieder kende de wrede, verzwelgende eigenschap van de Banjaard. Voor ieder schip dat daar in moeilijkheden kwam, was snelle hulp geboden. Maar in de rampnacht zou de 'Maria Carolina Blankenheym' haar doel bij de Banjaard niet bereiken.
Volgens het reddingrapport van de plaatselijke commissie meldde schipper Minneboo om 20.00 uur dat hij terugkeerde, omdat de machinist bewusteloos geraakt was. De reddingboot bevond zich op dat moment drie mijl zuidwestelijk van Schouwen. Volgens het rapport probeerde de schipper in de Roompot opper te zoeken om zijn bemanning in de gelegenheid te stellen de machinist te behandelen. Die mogelijkheid deed zich een half uur later voor. Schipper Jan Minneboo in zijn reddingrapport: "Zodra we de kans kregen, dat was om 20.30 uur in de Roompot voor het Veere Gat, hebben we de machinist boven getrokken en in de cockpit gelegd. Hier kwam hij langzaam weer wat bij. Om 21 uur waren we binnen te Veere."
Matroos Cies Minneboo: "In mijn herinnering heeft het geen half uur geduurd en hebben we Piet onmiddellijk aan dek gehaald. Nol Huybrechts bleef beneden. We lagen te steken op zee en wind en we gingen nogal tekeer. Je zag niks anders dan enorme zeeën, 't was bij de beesten af. Ik had Piet op mijn knie liggen en hij kreeg dikke klappen water over zich heen. Maar hij kwam maar nauwelijks tot besef. Zo zijn we naar huis teruggesukkeld in dat beestenweer. Toen we binnen-

kwamen was het omtrent laagwater, maar het water stond even hoog als gewoon bij hoogwater."

De schipper schreef in zijn rapport: "Machinist naar huis gebracht met auto daar hij niet in staat was te lopen en nog steeds niet ten volle bij was. Verder op nadere berichten gewacht. Om 1 uur bericht gehad van de vuurtorenwachter van Schouwen als dat de 'Bore VI' wegstoomde in Noord Oostelijke richting. Verder alles in orde."
Cies Minneboo: "Piet is nog met een ambulance naar Middelburg gegaan. Hij is de volgende dagen ook niet aan boord geweest. We voeren toen alleen met de tweede machinist Nol Huybrechts. Toen de drukte over was, gingen wij opstappers weer van boord. Wat er precies met Piet Oele aan de hand is geweest, ik weet het niet. Ik kan me niet herinneren dat er ooit nog over gesproken is."

Zware reis voor de 'Koningin Wilhelmina'

De noodzakelijke terugkeer van de 'Maria Carolina Blankenheym' betekende, dat de 'Koningin Wilhelmina' er buitengaats nu alleen voor stond.
Eerste machinist van de 'Koningin Wilhelmina' was de 21-jarige Gerrit Roon. Vier jaar eerder had hij zijn eerste tocht met de reddingboot gemaakt, als opstap-

per. Dat was onder stuurman Willem van Seters, die bij deze gelegenheid schipper Willem de Jager verving.
Gerrit van Roon over zijn eerste tochten: "Het was op een zondagmorgen, schipper De Jager lag in het ziekenhuis. 't Ging om een Belgische houten kotter die dacht dat ie bij Oostende zat, maar in werkelijkheid bij Ouddorp zat. Dus aan de grond. Daar hebben we zeven mensen afgehaald. Twee dagen later al zat de hele kotter onder water. Willem van Seters was in die tijd stuurman en hij is kort daarop in vaste dienst gekomen, als machinist.
Het was een regel dat de machinist tijdens tochten beneden zat, maar dat heb ik Van Seters nooit zien doen.
Natuurlijk was zijn eerste zorg de machinekamer, maar hij was niet steeds beneden. Daar was hij de man ook helemaal niet naar. Hij was zo'n felle doorpakker, zo'n doorzetter. Je kunt je toch niet voorstellen dat zo'n man beneden moest zitten, terwijl er boven aan dek werk genoeg was. De mensen moesten overkomen, je moest ze opvangen of aan boord trekken en zorgen dat ze benedendeks kwamen.
Hij is al gauw naar Hoek van Holland gegaan, als schipper. Daar was ie precies op z'n plaats. Toen hij wegging ben ik drie maanden interim geweest en daarna vroegen ze mij of ik in vaste dienst wilde komen. En dat is gebeurd. Ik was toen negentien jaar oud en moest nog toestemming van mijn ouders hebben.
Net als Van Seters heb ik tijdens tochten ook nooit de hele tijd beneden gezeten, hoor. Je zorgde dat er niks aan de motoren mankeerde en je stond klaar om eventueel in te grijpen, maar om daar steeds beneden te zitten, daar zag ik de zin niet van in. Ik was gewoon in de brug en als er een reden voor was, dook ik naar binnen. Ik deed ook de radiotelefonie, dat deed je ook binnen."

Geen van de reddingboten die het Finse stoomschip 'Bore VI' bij de Banjaard te hulp kwamen, zouden hun missie afronden; de 'Maria Carolina Blankenheym' keerde met de bewusteloze machinist terug en de 'Koningin Wilhelmina' bereikte door een reeks van onvoorziene omstandigheden haar doel niet.

Op het moment dat de 'Koningin Wilhelmina' uitvoer, was de toestand van wind en zee als volgt: Wind NNW, kracht 13, ruwe zee.
Gerrit Roon herinnert zich over deze tocht: "Het was niet zulk mooi weer, natuurlijk, het viel nogal tegen. De sfeer aan boord was ook een beetje bedrukt. Het geval wou dat de stuurman en de tweede machinist, mijn oom, in 1949 onder vergelijkbare omstandigheden naar buiten waren gegaan voor een Zweed in moeilijkheden. Dat was het stoomschip 'Aslög". Er zijn toen twee jongens bij verdronken, stuurman De Blok en opstapper Grootenboer, die voor de eerste keer meeging. Toen gingen ze er ook op een zaterdagavond uit, met hetzelfde soort

De 'Bore VI' uit zee gezien.

rotweer en ook om een uur of acht. Ik weet nog wel dat de stuurman het helemaal niet zag zitten.
Er is wel eens de indruk gewekt dat ze zich vanaf de wal met het scheepsbeleid bemoeiden, maar ik weet niet anders dan dat schipper De Jager zijn eigen beleid uitstippelde. Het was heel slecht buiten en het werd almaar slechter. Toen we bij de Kwade Hoek zaten, besloot de schipper om maar niet door te gaan, want dit was uitzichtloos. Hij wou naar binnen om het daarna via het Hellegat en Brouwershaven te proberen.
Toen we van de Kwaaie Hoek naar binnen stoomden, ging het voor stroom, voor de zeeën en voor de wind aan. Het was echt heel slecht weer en het waaide dat het rookte. Wij stonden in die open stuurbrug en wij waaiden met de wind achterin gewoon klem tegen de brug en tegen elkaar aan, zo hard woei het."

Op het Hollands Diep kreeg de 'Koningin Wilhelmina' bericht dat de 'Bore VI' haar moeilijkheden kennelijk overwonnen had en in noordelijke richting was weggestoomd. Het was een mededeling die naderhand onjuist bleek te zijn. Een merkwaardig misverstand, omdat de 'Bore VI' niet weggestoomd was, maar min of meer aan de voeten van de vuurtorenwachter het strand opdaverde. Niemand kon voorzien dat deze 'Bore VI' een etmaal later zelf een belangrijke rol in reddingacties zou spelen.

De 'Koningin Wilhelmina' ging na ontvangst van het ingetrokken noodbericht op tegenkoers, richting thuishaven, maar het overkomend en stuivend water sloeg alle zicht weg. Oud-machinist Gerrit Roon daarover:
"Het was verschrikkelijk slecht daar op het Hellegat. Je had er drie verschillende stromen die tegen elkaar opstonden: die van de Grevelingen, van het Volkerak en van het Haringvliet. En het was zulk slecht weer en we hadden zo vreselijk veel water, dat we zeiden 'Het kon nog wel eens vollopen, hiero'."
Schipper De Jager besloot de haven van Willemstad binnen te lopen om daglicht af te wachten. Dit werd gemeld aan Scheveningen Radio en kort na middernacht meerde de reddingboot in haar nachtasiel af.

De strijd van de 'Bore VI'

De 'Bore VI' had zich rond middernacht weliswaar van de kust verwijderd, maar had zich allesbehalve in veiligheid gesteld. Het schip had ondertussen al vele uren van strijd achter zich.
Ze was op donderdag 29 januari van Rouen vertrokken met bestemming Amsterdam. Daar zou het schip cokes laden voor Zweden. Na vertrek was ze in de monding van de Seine enige tijd voor anker gegaan.
Op 30 januari begon ze de werkelijke reis maar Amsterdam. Tegen middernacht werd Dungeness gepasseerd en zaterdag om 06.30 uur werd de blink van Galloper vuurschip gepeild. Er werd nu koers verlegd naar de Nederlandse kust. Het weer was inmiddels omgeslagen: er stond een westenwind, kracht 6 tot 7.
Na het middaguur kreeg de 'Bore VI' moeite om koers te houden. De 46-jarige kapitein Bertil Fagerström besloot het schip met de kop op zee te brengen om op die manier het snel verslechterende weer te pareren. Maar het hoog op het water liggende schip kon niet op koers worden gehouden en begon daarop een zwalktocht over de Noordzee.
Om 15.00 uur registreerde de torenwachter van Schouwen, dat een 'onbekende vrachter' een gevaarlijke koers langs de Banjaard stuurde, maar zich na enige tijd weer uit de kust wist te werken.
Kapitein Fagerström besefte zijn netelige positie heel goed. Volgens een door hem afgelegde verklaring liet hij om 15.30 uur 'mayday' uitzenden, met de naam en positie van het schip. Verder gaf hij zijn bemanning orders om zwemvesten aan te trekken en de reddingsloepen klaar te maken voor eventueel gebruik.
De torenwachter op Schouwen schreef in zijn journaal: "Windkracht 10. Vrachtboot voert te 18.35 uur een felrood vuur, waarschijnlijk bedoeld als noodsein. Volgens de radio is het Deense stoomschip Borus.
Deze laatste opheldering was van Oostende Radio, die reageerde op oproepen van de radiokuststations North Foreland Radio en Scheveningen Radio. Het eerste

station reageerde op een oproep van Scheveningen met: "Following received from Netherlands Coast Station. Finnish ship calling Mayday, without further particulars, please all station stand by." En later: "Following received. Mayday. I am aground outside position (unread), I need help."
En dan: "Following received from Ostend Radio. Finnish steamer aground Hoek of Schouwen is 'Bore VI'."

Volgens de verklaring van de kapitein heeft het schip rond deze tijd voor het eerst gestoten. Hij liet meer ankerketting steken en probeerde het schip met afwisselend volle kracht en half vermogen op de wind te houden. Alles tevergeefs, zo bleek. Om 22.20 uur brak de ankerketting aan bakboord en twee uur later die aan stuurboord. Er werd nog geprobeerd om met vol vermogen uit de kust te komen, maar zee en wind bleken sterker. Tegen drie uur strandde het schip op de kust van Schouwen.

Acties van de 'President Jan Lels'

Terwijl de 'Koningin Wilhelmina' probeerde naar buiten te komen om de 'Bore VI' te bereiken, werd iets noordelijker de reddingboot 'President Jan Lels' van Hoek van Holland tot actie geroepen. De bemanning bestond uit schipper Willem van Seters, stuurman Toon Troost, motordrijver Henk Bénard en de opstappers Frans de Weers, Henk de Weers, Siem Visser en Siem Bezuijen.
De 46-jarige Willem van Seters was een Stellendammer, die een jaar eerder naar Hoek van Holland was gekomen, als opvolger van schipper Arie Brinkman, die in januari bij een reddingactie om het leven was gekomen.
De 'Lels' had zojuist twee mannen van een baggermolen gehaald, die dreigde te zinken. Het verslag van schipper Van Seters luidde:
"Wij werden gewaarschuwd door onze agent, de Commissaris van het Loodswezen, dat er een baggermolen bij Poortershaven tegen de grond zat en dat het dreigde te zinken en dat er twee man aan boord zaten die het wilden verlaten. Toen zijn wij gevaren uit Hoek van Holland naar Poortershaven en daar zagen we een baggermolen tegen het lager zitten en die werd bijgelicht door een auto. Toen konden we zien dat er twee ankers uitstonden van achter en

Vlnr: Toon Troost, Frans de Weers, Hendrik Bénard en Willem van Seters.

De 'President Jan Lels'.

van voren. Toen hebben wij de boot op zijn ankerketting gezet en twee man overgenomen en toen gingen we door de stroom en de wind een eindje achteruit en braken onze antennemast tegen de buizen die dwars uit staken."

De 'President Jan Lels' was nog maar nauwelijks op haar ligplaats terug, toen de zeesleper 'Schelde' de reddingboot riep. De sleepboot was even na negenen vertrokken na een dringende oproep van de 'Aalsdijk' van de Holland Amerika Lijn, die bij boei 4 van de Nieuwe Waterweg aan lagerwal was geraakt. De sleepboot zag geen kans om vast te maken en was met krabbende ankers op een strekdam geraakt. Het schip haalde zwaar over en dreigde zelfs te kapseizen.
Het was een kwartier na middernacht toen de reddingboot vertrok. De wind: kracht 12-13. Het betekende dat de toesnellende reddingboot al op de Nieuwe Waterweg tegen hoge zeeën moest optornen.
Schipper Van Seters stelde de actie zeer onderkoeld op papier: "Ik kreeg telefonisch bericht van de Commissaris van het Loodswezen dat de sleepboot 'Schelde' om hulp vroeg want dat hij op een strekdam zat. Toen zijn wij gevaren en zagen

de sleepboot 'Schelde' zitten en zijn er langszij gegaan en hebben gevraagd wat zij wilden want dat de sleepboot 'Schelde' geheel over zij ging liggen. Toen heeft de kapitein nog even met de rederij gesproken per radiotelefonie en besloten het schip te verlaten. Wij hebben de bemanning toen overgenomen en zijn terug gekeerd naar Hoek van Holland waar wij behouden binnen kwamen met negentien geredden."
De redders hadden daarna weinig tijd om van de vermoeienissen bij te komen, want kort na binnenkomst stond hun de meest merkwaardige actie uit hun loopbaan te wachten: een reddingsactie zonder reddingboot!

Met ladders en lijnen

Het is amusant te registreren hoe de voorgedrukte tekst 'Reddingtocht gehouden door de Reddingboot' voor deze gelegenheid op het standaard reddingrapport met pen werd doorgehaald en gewijzigd in: 'Met ladders en lijnen.' Ongewijzigd bleef: Bemanning: schipper W. van Seters. Verder: A. Troost, H. de Weers, S. Bezuijen, S. Visser. Uur van vertrek: 5 uur. Terug: 6 uur. Wind: NW 12. Naam in nood verkerende schip werd weer doorgehaald en gewijzigd in: De wachtpost van Dirk Zwager.
De ongebruikelijke actie werd in twee lange volzinnen door de schipper onder woorden gebracht.
"Wij werden geroepen door een onbekend persoon dat er vijf mensen in het wachthokje van Dirk Zwager in nood verkeerden daar het steiger was weggeslagen en het wachthokje stond te schudden op zijn palen door het water en de wind, zoodat het elk ogenblik weg kon drijven maar dat wij het niet konden met de reddingsboot werd besloten om het met ladders en lijnen te proberen wat ons ook is gelukt.
Wij hebben twee ladders aan elkaar gebonden en hebben hem toen op het hokje geschoven en ben er zelf over gekropen met een lijn om mijn lijf en hebben er toen vijf man afgehaald, alles goed verlopen."

De noodseinen volgden elkaar op. In Vlissingen was de reddingboot 'President J.V. Wierdsma' voor het Belgische stoomschip 'Luxembourg' uitgegaan, dat aan de grond was gelopen. De boot hoefde verder niet in actie te komen, omdat de sleepboot 'Maas' het stoomschip weer vlot wist te trekken. Het Nederlandse motorschip 'Tiba' was met een gebroken roer bij de Waterweg ten anker gekomen en werd door de sleepboot 'Blankenburg' binnengebracht. Inmiddels had ook een ander noodsein de kustwacht en reddingdiensten in beroering gebracht. Het betrof de Duitse tanker 'Julius Rütgers', thuishaven Hamburg, die in de vroege morgen van zondag 1 februari om 4.30 uur met een noodsein in de lucht

Naar zee…

was gekomen. De kapitein meldde dat hij machinevermogen te kort kwam om koers te houden en niet vrij van de kust kon blijven. Hij verwachtte bij IJmuiden te stranden. Vanaf de wal werd uitkijk gehouden, maar er werden geen noodseinen gezien en ook gaf het schip geen nadere positiebepaling door. Men nam aan dat de 'Julius Rütgers' ergens tussen Zandvoort en IJmuiden op het strand zou lopen en alarmeerde reddingstation Zandvoort.
Dit station was weliswaar onmiddellijk klaar om de boot te lanceren, maar de sterke afslag van de kust maakte een eventuele inzet van boot onmogelijk. Hierop werd het vuurpijl- en wippertoestel in gereedheid gebracht.
De 'Julius Rütgers' verscheen echter niet voor de kust. Pas de volgende dag, 's zondags tegen twaalf uur 's middags ontving Zandvoort bij geruchte bericht dat er ten zuiden van Zandvoort bij paal 73 een schip tegen de duinrand op het strand zat. De reddingcommissie ging poolshoogte nemen en stelde vast dat het de 'Julius Rütgers' was.
Op hetzelfde moment dat de 'Julius Rütgers' haar problemen meldde, had ook het Russische stoomschip 'Enisei' noodseinen uitgezonden. Ze bevond zich zo'n

De 'Julius Rütgers'. bij Zandvoort op het strand.

20 mijl noordnoordwest van Den Helder, maar het radiocontact verliep erg moeizaam. Vier uur later had het schip de moeilijkheden kennelijk overwonnen, want op dat tijdstip trok de kapitein het noodbericht weer in.

De 'Neeltje Jacoba': mayday in de haven

Weer iets noordelijker werd de 'Neeltje Jacoba' van IJmuiden zondagsmorgens om 05.00 uur radiotelefonisch opgeroepen om hulp te verlenen in de Haringhaven. Deze hulp kon snel verleend worden, omdat de bemanning de vorige avond wegens de in kracht toenemende wind al uit voorzorg aan boord was gekomen. Het reddingrapport luidde over deze voorzorgsmaatregel: "Toen op Zaterdag de weerberichten zeer zware storm met orkaankracht meldden, is de vaste bemanning J. v.d. Meulen, C. Koper, D. de Koning om 20.00 uur naar boord gegaan. De voortrossen waren al gebroken en toen heeft de 'Neeltje Jacoba' een andere ligplaats gekozen. Omdat het water zo'n ongekende hoogte had, was er alleen per radio nog verbinding met de 'Neeltje Jacoba', totdat om 05.00 uur bericht doorkwam om onmiddellijk naar de Haringhaven te vertrekken. Dit is dan ook gebeurd en hebben zes vrouwen en zeven kinderen van enige schepen overgenomen, daar het niet onmogelijk was dat dezen zouden zinken of kapseizen."

In de haven van IJmuiden was het op dat moment een helse toestand. Dat blijkt uit het feit, dat de kapitein van het Poolse vissersschip 'Korab II' vuurpijlen de lucht in joeg en over de radiotelefonie 'mayday' uitzond. Het schip maakte water. Het noodsein werd door Scheveningen Radio ontvangen en beantwoord. De 'Neeltje Jacoba' - met de vrouwen en kinderen nog aan boord - schoot te hulp en maakte vast voor een sleeppoging. Een eveneens toegeschoten havensleepboot nam deze taak over en bracht de logger in veiligheid. De 'Neeltje Jacoba' keerde terug naar haar ligplaats en nadat het water gezakt was, werden de vrouwen en kinderen met poes en hond aan de wal gezet.
In de afgelopen uren had de bemanning van de reddingboot echter danig in de rats gezeten, omdat ze de overgenomen vrouwen en kinderen door de hoge waterstand niet kwijt konden en eigenlijk ieder moment een oproep verwachtten om naar zee te vertrekken. Die oproep kwam voorlopig nog niet en om negen uur 's morgens kwamen de opstappers Jaap Varkevisser en Wiebe van der Meulen de bemanning versterken. Dit gaf de anderen de gelegenheid om na deze doorwaakte nacht even naar huis te gaan om wat te eten.

De nieuwe 'Prins Hendrik'

Evenals de reddingboten in de zuidelijke regio's waren ook hun collega's van de noordelijke standplaatsen al vanaf zaterdagavond in touw. Een hoofdrol was daarbij weggelegd voor de nieuwste eenheid van de vloot, de motorreddingboot 'Prins Hendrik'.
Deze reddingboot was de opvolgster van de in 1923 in de vaart gebrachte motorreddingboot 'Dorus Rijkers', die na haar vertrek van Den Helder in de reservevloot was opgenomen. In verband met het rampweekeinde zou het schip echter onverwacht uit de mottenballen worden gehaald en zelfs nog prominent de media halen.
De nieuwe 'Prins Hendrik' was in juni 1951 door Prinses Wilhelmina gedoopt en vervolgens door haar aan de reddingmaatschappij overgedragen. Bij deze plechtigheid was een delegatie van station Den Helder in Den Haag aanwezig, onder wie ook de echtgenotes van de bemanning en de voorgangers van de huidige bemanning. Dochtertje Tineke van het echtpaar Bot mocht Hare Koninklijke Hoogheid bloemen aanbieden.
De oude en de nieuwe generatie redders was onder de indruk van het nieuwe schip, dat vrijwel identiek was aan de bestaande motorreddingboten van het type 'Insulinde', maar wel groter en volgens de nieuwste technische stand van zaken was uitgevoerd en uitgerust.
Niet alleen het motorvermogen, maar met name ook de motorkamers lieten een groot verschil met haar voorgangster zien. Op de 'Dorus Rijkers' overheerste in

Piet Bot als jonge opstapper.

de motorkamer de kleur zwart, terwijl de machinekamers van de 'Prins Hendrik' in lichte kleuren geschilderd waren en blinkend schone vloerplaten hadden. Naast de inmiddels gebruikelijke radiotelefonie was de boot ook uitgerust met een radiorichtingzoeker.

In 1952 arriveerde de boot op station Den Helder. De vaste bemanning, bestaande uit de 39-jarige schipper Piet Bot, stuurman Jaap van Veen en motordrijver Jan Bijl, had een prachtig instrument in handen gekregen.
Na de indienststelling in Den Helder in 1952 begon de loopbaan voor de nieuwe reddingboot zoals het hoort: met klusjes van velerlei aard, die de bemanning de gelegenheid gaven het schip – en zichzelf – goed in te varen. Zware reizen dienden zich echter voorlopig nog niet aan.
De laatste actie van het jaar 1952 werd uitgevoerd na een melding van de kustwacht, dat er buitengaats noodseinen getoond werden. De 'Prins Hendrik' trof op de aangegeven positie twee Belgische vissersschepen aan, waarvan de één zijn collega sleepte, die water maakte en dreigde te zinken. Met assistentie van de reddingboot liep de kwetsbare sleep behouden de haven van Den Helder binnen.
De plaatselijke commissie van de reddingmaatschappij rapporteerde hierover: "Weliswaar is hier geen reddingtocht van enig formaat gemaakt, doch goede diensten zijn bewezen aan een vaartuig dat in nood verkeerde terwijl het de activiteit van de bemanning der reddingboot weer eens heeft geprikkeld."

De 'Dorus Rijkers' en haar opvolgster.

De 'Oder' in nood

Welnu, een prikkeling hadden de ervaren schipper Piet Bot en zijn bemanning in de avond van de 31e januari 1953 niet nodig. Zaterdag in de avond werden ze opgeroepen om te varen. De Duitse sleepboot 'Gulosenfjord' van de Norddeutsche Lloyd had om 20.25 uur gemeld dat ze haar sleep, de tanklichter 'Oder' van oliemaatschappij Esso, door het breken van de sleeptros op 20 mijl noord-

Overdracht van de 'Prins Hendrik': linksachter directeur De Booij van de KNZHRM, middenvoor schipper P. Bot, rechtsachter motordrijver J. Bijl, daarvoor oud-schipper M. Toxopeus.

west van vuurtoren Eierland had verspeeld. De 'Oder' had zes mannen aan boord.
Kort daarop stonden ze met z'n vieren aan de buitenhaven: Schipper Coen Bot, stuurman Jaap van Veen, motordrijver Jan Bijl en opstapper Piet Kramer. De haven van Den Helder liet op dat moment het beeld zien, dat aan de hele Nederlandse kust geregistreerd werd: buitengewoon hoog water en vliegend stormweer. De uitzonderlijk hoge waterstand maakte het onmogelijk om aan boord van de reddingboot te komen. Een sleepvlet van een baggermaatschappij bood uitkomst door de mannen van de wal naar hun schip te brengen.
Terwijl zijn collega's zich in laarzen, oliegoed en zuidwester hulden, haalde motordrijver Bijl de met cokes gestookte kachel van de centrale verwarming leeg. "We hadden een moderne boot, maar nog wel met een cokeskachel, die moest je eerst uithalen voor je los ging. Dat was erg primitief moet ik zeggen, dat hadden ze toch anders moeten regelen", aldus de oud-motordrijver in een terugblik.

Van boven naar beneden: schipper Piet Bot, stuurman Jaap van Veen, motordrijver Jan Bijl, opstapper Jaap Kramer.

Om 20.50 uur liet de reddingboot de haven achter zich. De omstandigheden waren in telegramstijl: storm uit westzuidwest, later orkaan uit noordwest, hoge, wilde zeeën en slecht zicht. Meer onder dan boven water zocht de reddingboot zich via het Molengat een weg naar zee. De volslagen duisternis en de overkomende zeeën maakten het in de open brug van de reddingboot bijzonder moeilijk een goede verkenning uit te voeren. Schipper Bot: "Het was allemaal water, waar je ook keek, het was echt héél slecht weer. En toen viel de boot ook nog een paar keer op z'n kant, de motoren sloegen af."
Motordrijver Jan Bijl daarover: "Toen we naar buiten gingen viel ie in het Molengat al op z'n zij. En als ie op z'n kant viel, stopten de motoren automatisch bij een bepaalde hellinghoek. Dat wil zeggen dat je dan meer dan negentig graden op de kant had gelegen. En dan moesten de motoren weer aan de praat. Maar dat deed je niet met een druk op de knop, zoals tegenwoordig. De 'Prins Hendrik' was voor die tijd wel een modern schip, maar tegelijk ook nog wel wat bekrompen uitgevoerd, want de reddingmaatschappij wilde zo weinig mogelijk accuboel aan boord hebben.
Starten deed je met lucht. Dus je moest de vliegwielen tornen tot ze de goede stand hadden en dan lucht erop. Daar hoorde ook nog een beetje geluk bij, want de tandwielen pakten wel es niet. Dan moest je er met een schroevendraaier bij te wrikken. En dan maar weer een schot lucht erop. Maar in het Molengat gingen we dus al op onze kant en dat is nog een paar keer voorgekomen. Het waren best spannende momenten om de motoren weer aan de gang te krijgen. Naderhand denk je wel es: 'Nou jonges, daar zijn we goed doorheen gekomen, maar op het moment zelf heb je geen tijd om te prakkiseren."
Om 23.15 uur had de 'Prins Hendrik' het lichtschip 'Texel' dwars en daar vandaar knokte de bemanning verder naar het zeegebied ten noorden van routeboei ET 3, waar ze de lichter verwachtten aan te treffen. Toen ze daar echter niets aantroffen, werd doorgezet naar boei ET 4, maar ook hier was geen spoor van de lichter te ontdekken.

In tegenstelling tot de oudere motorreddingboten, waar er tijdens acties gewoonlijk twee motordrijvers benedendeks verbleven, runde motordrijver Jan Bijl de beide motorkamers alleen. De achterste motorkamer stond in verbinding met het benedenstuurhuis.
De oud-motordrijver: "Op een gegeven moment werd het verplicht dat een van de bemanning een diploma radiotelefonie moest hebben. Als jongste van de club heb ik toen die cursus gedaan. Dat ging alleen

maar om het papiertje, de anderen deden de zender natuurlijk ook wel.
Als we onderweg waren, zat ik niet steeds bij de motoren. Ik kroop ook vaak uit de machinekamer naar die benedenstuurhut en daar bediende ik dan ook de zender-ontvanger. De persoonlijke verhoudingen waren aan boord heel gemoedelijk. Soms ging het luik naar dek open en riep Piet Bot: 'Zeg Jan, vraag es even van dit of van dat.' Als ik op dat moment bij de motoren zat, kwam er iemand van dek om de zender te doen."

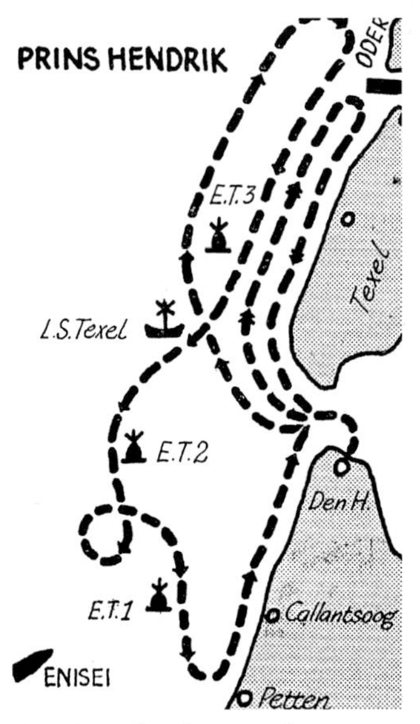

De dwaaltocht van de 'Prins Hendrik'.

De 'Prins Hendrik' tastte ondertussen nog steeds letterlijk in het donker. Toen rond 04.00 uur via de radio het bericht binnenkwam dat het Zweedse motorschip 'Virgo' boven de Vliehors in moeilijkheden verkeerde, werd het Eierlandse Gat aangelopen en werd een witte lichtkogel afgeschoten om letterlijk enig licht in de duisternis te brengen. De branding bleek een heksenketel en de 'Virgo' werd niet verkend, waarop de 'Prins Hendrik' naar vuurschip 'Texel' terugkeerde. In de volgende lange uren pareerden schipper Bot en zijn mannen daar in hun open stuurstand de aanstormende zeeën en het helse inferno van de orkaan. Oud-schipper Bot: "We hebben een paar uur gestoomd, wat uren rondgescharreld en boven Eierland gezeten, maar we zagen niets, geen noodsein, geen vuurpijl of wat dan ook. Onze radio werkte op een gegeven moment ook niet meer. Het was vreselijk slecht buiten, het water waaide uit zee. Het was allemaal water om je heen wat je zag. En we hadden geen enkel contact meer met de wal, we wisten van niks. Ik heb het vuurschip 'Texel' aangelopen en daar hebben we liggen steken. In de vroege ochtend wilde ik de wal in. Die koersen stonden in je geheugen gegrift. Maar toen ik op een gegeven moment mijn tijd verstoomd had, zag ik nog steeds niet wat ik moest zien. Toen zijn we weer gaan liggen steken en hebben we de dag afgewacht."

Aan de wal maakte men zich ondertussen grote zorgen over de 'Prins Hendrik'; er waren al geruime tijd geen berichten meer van de reddingboot ontvangen. Het probleem was dat de antenne van kustwacht Huisduinen gebroken was en het elektriciteitsnet defect was geraakt. Den Helder was daarmee van ieder contact met de reddingboot verstoken, het ergste werd gevreesd.
Mevrouw Bot herinnert zich: "Van de commissie kwamen ze om te zeggen dat ze niets meer van de boot vernomen hadden, dat ie waarschijnlijk vergaan was."
Pas in de loop van de ochtend kwam "Slechts schrale communicatie met kust-

Machinist Jan Bijl in de motorkamer.

wacht 'Brandaris'" tot stand, volgens het rapport van schipper Bot.
Jan Bijl: "We hadden een radiorichtingzoeker en daarmee kon je je positie bepalen door bijvoorbeeld de vuurschepen 'Texel' en 'Terschellingerbank' te peilen. Maar dat lukte niet. Dus de schipper zei: 'Jan, roep ze maar es aan of ze ons van de wal kunnen peilen. Ik heb contact opgenomen en ze hebben ons toen gepeild.'
Tegen 09.00 uur meldde de sleepboot 'Gulosenfjord', die de vorige avond de 'Oder' verspeeld had, dat ze zelf in moeilijkheden verkeerden. Het noodsein werd echter kort daarna ingetrokken.

De plaatselijke commissie in Den Helder wist ondertussen niets van de 'Prins Hendrik' en vroeg om 10.45 uur aan vliegbasis Valkenburg een vliegtuig in te zetten om naar de reddingboot en de lichter te zoeken. Die aanvraag werd afgewezen, omdat de storm dwars op de startbaan stond en er van opstijgen geen sprake kon zijn.
Wat niemand wist, was dat de reddingboot op dat moment al aan haar thuisreis begonnen was. De schipper had de hele nacht geen nadere instructies van de wal ontvangen en had geen enkele notie over de stand van zaken met de 'Oder'. Omdat er een 'zeer lastige zee' - aldus het reddingrapport - stond, het schip zwaar slingerde, voortdurend vast water overnam en de motoren door een herhaalde slagzij van meer dan negentig graden al enige malen waren afgeslagen, was schipper Bot na deze doorwaakte nacht rond negen uur op zuidkoers te gaan.
Oud-schipper Bot: "Als het journaal negen uur zegt, zal dat wel zo zijn, maar in mijn herinnering gingen we eerder de wal in. Ik zei: 'We gaan de wal in, naar huis.' Maar er liep een ontzettende eb, zo bleek ons later. Op een gegeven moment kregen we landverkenning. Bleken we voor het torentje van Bergen te zitten. Daar boven de Pettenerpolder is het trouwens ook niet best. Daar ging de boot ook nog een keer plat op z'n kant en de motoren af."
Oud-motordrijver Bijl: "Ja, het was niet best daar. Ik had niet zoveel contact met de mannen aan dek. Maar als het luik even op een kier ging om wat tegen elkaar te zeggen, ving je wel eens flarden op. Ik hoorde de opstapper bijvoorbeeld roepen dat ie een vuur door zag komen. Maar welk vuur het was en waar het zat wist ik natuurlijk niet. Dan was het luik al weer dichtgekneveld."
Na de verkenning van de toren van Bergen werd vanaf 10.30 uur noordelijk opgewerkt en oliestortend werd vervolgens koers gezet naar de verkenningston Schulpengat. Die werd om 14.15 uur gepasseerd. Een uur later, om 15.15 uur

liep de reddingboot behouden Den Helder binnen.
Oud-schipper Piet Bot: "We keken onze ogen uit. Alles stond onder water. Voor mijn bedrijf had ik een paar boten varen. Een waterboot van me lag op een steiger en m'n olieboot was weg. Die had onder de boeg van een schip, de 'Pelikaan', gelegen. Hebben ze 's nachts zonder te kijken het anker er voor gegooid. Boven op m'n olieboot, dus dat anker ging er dwars door."
Het reddingrapport van de plaatselijke commissie registreerde zakelijk: "Onnodig te zeggen dat de bemanning buitengewoon vermoeid was en de stemming terneergeslagen over het feit dat die nacht niets was gevonden. Hen werd aangeraden ogenblikkelijk te gaan slapen in afwachting van eventuele gebeurtenissen in de komende nacht."

Oostmahorn

In deze orkaannacht zaten in de kustplaatsen en op de eilanden talloze mensen aan hun radiotoestel gekluisterd. De Hilversumse zenders waren indertijd 's nachts uit de lucht, maar de visserijband bood de mogelijkheid om de noodseinen en de gesprekken tussen kustwachtstations, reddingboten en in nood verkerende schepen thuis op de radio te volgen.
Ook in het afgelegen reddingstation Oostmahorn aan de Lauwerszee volgde men in de huizen achter de zeedijk het intensieve radioverkeer tussen de kustwachtstations en de scheepsbemanningen die op zee hun gevecht tegen de woedende natuur streden.
Tegen drie uur 's nachts ging bij schipper Klaas Toxopeus in Oostmahorn de telefoon en de inhoud van het gesprek was geen verrassing: de 'Insulinde' moest naar zee. Tussen de routeboei ET 12 en het lichtschip 'Terschellingerbank' bevond zich de kustvaarder 'Franka II', die zware slagzij had. De bemanning wilde in de sloepen gaan en de kapitein vroeg dringend hulp van een reddingboot. We volgen nu de tekst van schipper Toxopeus in zijn boek 'Woest water':
"Ik schoot mijn kleren aan, waarschuwde de bemanning en liep snel naar de dijk. Het was kwart over drie, bijna vier uur voor hoogwater en alles stond blank. De zee sloeg over de steigers. Geen mogelijkheid de 'Insulinde' te bereiken dan met de sloep. Ik liep snel naar het magazijn om een lange lijn te halen. Toen ik met de stuurman en de motordrijver weer op de dijk kwam, was de hele bemanning compleet. Gelukkig stond er ook een boerenzoon, die, door dezelfde onrust gedreven, het binnenshuis niet had kunnen harden. Hij was een onmisbare hulp – we moesten namelijk de sloep aan de lijn laten vieren tot de 'Insulinde' en hij kon na ons vertrek de sloep naar de dijk terugtrekken. We kwamen goed aan boord, maakten het schip zeeklaar en binnen de kortst mogelijke tijd stoven we tegen de zee op. Het was vliegend weer uit het noordwesten en dik van regen."

Reddingboot 'Brandaris' duikt het Schuitengat in.

De 'Brandaris' ook op zoek

Noodseinen en dramatische meldingen tuimelden op dat moment over elkaar. Op het moment dat de 'Insulinde' vertrok, kwam het Engelse kuststation North Foreland Humber Radio in de lucht met een melding aan alle schepen dat het zich uit het radioverkeer moest terugtrekken. De Engelse termen gaven de noodzaak van deze maatregel veelzeggend aan: "Out of action, flooded!" Deze niet alledaagse melding hield verband met overstromingen die de Engelse oostkust begonnen te teisteren.

De 'Prins Hendrik' had een uur na haar vertrek uit Den Helder een medestander gekregen in de reddingboot 'Brandaris' van Terschelling, die eveneens opdracht had gekregen om in de stikdonkere nacht, te midden van kolossale voortjagende golven en de loeiende orkaan naar de 'Oder' te zoeken.
Het was 22.00 uur toen de Terschellinger reddingboot het onstuimige Schuitengat èn de nacht indook. De bemanning bestond uit schipper Klaas Tot, stuurman Jaap de Beer, machinist H. van Heuvelen en de opstappers E.J. de Boer, H. Spits en H. Dijker. Er liep een zeer hoge zee. Het reddingrapport toont weinig van de moeilijkheden die op zee werden ondervonden.
Het luidde: "Ontvingen zaterdag 31-1 te 09.15 uur bericht van de kustwacht Terschelling dat een lichter, die van een sleep was losgeslagen, op 53° 24' N en 4° 32' O in nood verkeerde. De reddingboot 'Brandaris' vertrok naar de opgegeven plaats, maar daar aangekomen was niets te zien. Zochten nog wat rond maar bemerkten niets, zeer hevige storm met hooge zee. Kregen hierna bericht dat een kuster in nood verkeerde bij boei ET 12, direct vertrok de 'Brandaris' hierheen."

Deze 'kuster' was de 'Franka II', waarheen ook de 'Insulinde' onderweg was. Het schip meldde een slagzij van 25 graden. Tezelfdertijd meldde zich ook het Deense stoomschip 'Annetorm' met moeilijkheden. Dat schip bleek zich echter op zo'n 70 mijl ten noordnoordwesten van Terschelling te bevinden, reden waarom de 'Franka II' prioriteit kreeg.
Er stond zo'n geweldig stuk zee dat de 'Brandaris' niet dwarszees, maar zich al 'stekende' naar de opgegeven positie moest opwerken. Ter hoogte van het Bornrif gekomen kreeg de reddingboot bericht dat de 'Insulinde' de kustvaarder inmid-

dels bereikt had.
Hiermee was de kous voor de 'Brandaris' echter bepaald nog niet af. Ze werd nu onmiddellijk doorgestuurd naar het Indiase libertyschip 'Jalakitu', die zich dwars van Oosterend in moeilijkheden bevond. Het schip was 's nachts tegen tweeën al in de lucht gekomen met een verzoek om assistentie. "Bakboord anker weg, stuurgerei onklaar, liggen achter stuurboord anker, verzoek dringend assistentie van sleepboten. Positie ongeveer 80 mijl ten westen van Terschelling."
Het schip moet daarna ook door de stuurboord ankerketting zijn gegaan, want enige uren later bevond ze zich dwars van Oosterend. De sleepboot 'Holland' was in de buurt, maar kon voorlopig niets doen. De 'Jalakitu' verdaagde bijna op het Bornrif, maar door de extreem hoge waterstand van dat moment had ze het geluk water onder de kiel te houden. De 'Brandaris' bleef aan lij van de 'Jalakitu' tot het gevaar geweken was. De sleepboot 'Holland' begeleidde het Indiase schip naar Rotterdam en gaf de 'Jalakitu' het laatste deel van de reis nog sleepassistentie.

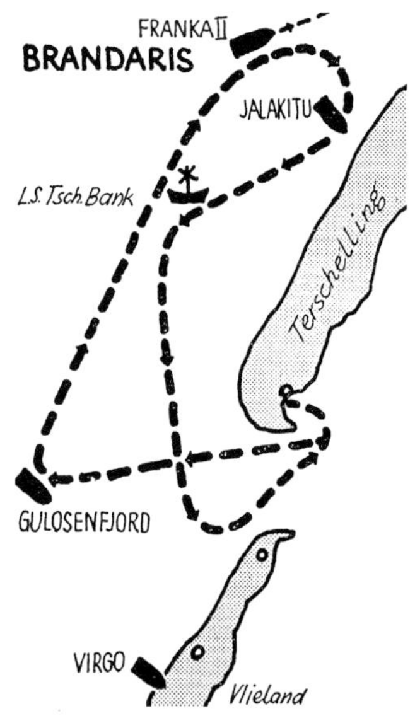

Zoektocht van de 'Brandaris'.

De taak van de Terschellingse redders was hiermee beëindigd en ze konden aan hun thuisreis beginnen. Het was een epiloog die echter niet zonder kleerscheuren zou worden afgerond.
Het reddingrapport luidde over deze episode: "De 'Brandaris' keerde terug naar het lichtschip 'Terschellingerbank', van hier naar de ET 7 en vervolgens op het Stortemelk af. Maakten het drijfanker gereed. Bij het overboord vieren van het drijfanker kwam de vinger van de schipper tussen de tros, zoodat van de vinger de helft van 't vleesch overbleef. Bij het naar binnen gaan brak de tros van het drijfanker zodat de 'Brandaris' verder door de branding op zijn beide schroeven was aangewezen. Dat ging echter zeer goed.
De 'Brandaris' kwam goed naar binnen, doch kreeg zware zeeën over, twee reddingboeien sloegen weg, ook raakte de luchtfluit onklaar. Ten 5 uur n.m. kwam de 'Brandaris' in de haven, de schipper werd direct naar de dokter gebracht, de vinger werd voorloopig verbonden en maandagmorgen ging de schipper naar het ziekenhuis in Harlingen. Zooals u wel kunt begrijpen is dit een van de zwaarste tochten geweest gedurende het bestaan van de 'Brandaris'", aldus de secretaris van de plaatselijke commissie.
Een aantekening in het scheepsjournaal luidde: "Terug zondag 1 februari om 5 uur n.m. Duur: 17 uur. Verbruikt: 450 l brandstof. Oliestortend Stortemelk binnen. Veel plezier gehad van olie."

De 'Annam' redt het

Langs de hele Nederlandse kust waren reddingboten in actie. Op het moment dat de gewonde schipper Klaas Tot zijn boot op Terschelling afmeerde, kwam de 'President Jan Lels' van Hoek van Holland deze dag opnieuw in actie, nu voor het Deense motorschip 'Annam' dat zich vlak voor de Waterweg bevond en assistentie van een reddingboot vroeg. Het was een unieke opdracht die een merkwaardige afloop zou krijgen.
De 'Annam' was onderweg van Hamburg naar Antwerpen, maar kon het in het noodweer niet langer bolwerken. Alles wees erop dat het schip op de Maasvlakte zou stranden. De kapitein besefte dit onvermijdelijke einde van de reis terdege, maar weigerde zich daar voetstoots bij neer te leggen. Ondanks de onvoldoende instrumenten die hij in handen had, besloot hij toch een poging te wagen de Nieuwe Waterweg binnen te lopen.
Hij trad daarmee in de voetsporen van zijn collega van de 'Faustus', die dit huzarenstukje drie maanden eerder ook had willen uithalen, maar zijn poging op het strand had zien stranden. Het kwam die gezagvoerder later op een ernstige schrobbering van de Raad voor de Scheepvaart te staan, die de gezagvoerder

De 'Faustus'.

verweet onverantwoordelijk te hebben gehandeld door met zware storm, met reeds geopende luiken en zonder loods te proberen de Nieuwe Waterweg binnen te lopen. Hij had buiten moeten blijven, zijn ruimen sluiten en betere omstandigheden afwachten. De Inspecteur-Generaal voor de Scheepvaart verwoordde in zijn conclusie, dat "de kapitein grove schuld heeft aan de stranding". In een hoogst ongebruikelijke vlaag van openhartigheid voerde hij voorts aan: "Het is tragisch dat dergelijke personen belast worden met de leiding van zeegaande schepen."

Het verhaal van de 'Faustus' kreeg de volgende dagen een vervolg, toen het schip zich van buitenaf door de Noorderpier een weg naar de Nieuwe Waterweg vrat, waar het zonk. In plaats van het schip te bergen, dolven baggeraars een graf in de bodem van de Waterweg, waar men het schip definitief in weg liet zakken.

Schipper Willem van Seters.

Welnu, het alternatief van buiten blijven was er voor de kapitein van de 'Annam' niet bij, voor hem diende zich op dit moment alleen een keus uit twee kwaden aan: of een gok, of geheid op de kust. Maar voor hij zijn gedurfde stunt in de praktijk bracht, wilde hij het gros van zijn mensen kwijt. Er werd assistentie van een reddingboot ingeroepen om de mensen af te halen. Anderhalve mijl buiten het Noorderhoofd bracht schipper Willem van Seters de 'President Jan Lels' in lij van de 'Annam', maar door de plaatselijke toestand van wind en zee was het niet mogelijk langszij te blijven. De schipper besloot de mensen hierop in verschillende aanlopen van boord te halen. Het bleek een harde dobber waarbij de reddingboot rake klappen opliep.
Via het springnet kwamen 16 personen aan boord en nog eens acht daalden via een touwladder af, totaal 21 mannen en drie vrouwen. Schipper Van Seters schreef in zijn journaal: "Wat niet zo gemakkelijk ging want daar wij 6 à 7 meter omhoog en omlaag gingen maar het is ons tenslotte gelukt om zonder ongelukken tot een goed einde te brengen."

De actie werd overigens wel zonder ongelukken, maar niet zonder schade afgerond. Henk van Seters herinnert zich: "Vader vertelde dat de 'Annam' sleepzakken had uitstaan. Op die manier konden ze nog wat stuur over de zaak houden, want voor de zee lopend was er geen houwen aan met die schepen. Ook reddingboten gebruikten sleepzakken als ze voor zware zeeën uitliepen. Toen ik zelf als opstapper op de reddingboot voer, is het wel voorgekomen dat we vol achteruit

moesten draaien tot we zo'n zee gehad hadden. Een van ons stond steeds achteruit te kijken en als er dan weer zo'n dikke jongen aankwam, met zo'n hoge kam erop, dan riep ie: 'Daar komt er weer een hoor!'
De 'Annam' is op een gegeven moment met zijn schroef gaan werken en daardoor raakte de reddingboot onder de kont van het schip. Daar heeft de boot in dat rotweer een opdonder gehad en is onder andere de stuurinrichting onklaar geraakt".

De 'Franka II' heeft de slagzij teruggebracht.

Door de opgelopen averij kon de reddingboot moeilijk vrij van de 'Annam' komen. De schipper schreef daarover: "Daar wij een mankement aan de stuurinrichting hadden, bleef de 'President Jan Lels' met de kop langs de 'Annam' schuren, zodat wij maar één meter voor de steven heen gingen. Toen hebben wij met één motor vooruit en met de andere achteruit gedraaid dat hij weer slaags kwam te liggen. Toen zijn wij de Nieuwe Waterweg in gestoomd voor de haven van Hoek van Holland en daar hadden wij het weer dat de boot moeilijk stuurde, maar toch klaarden wij het om binnen te lopen waar wij 24 geredden aan wal zetten. Daarna direct de inspecteur in kennis gesteld."

Op het moment dat de reddingboot met haar ernstige handicap binnenliep, was het geluk met de 'Annam'. Een zware zee sloeg het schip dusdanig rond, dat het opeens recht naar de monding van de Waterweg gericht lag.
De gezagvoerder aarzelde niet en gaf volle kracht vooruit, in een poging van alles of niets om binnen te lopen. Op hetzelfde moment werden op het achterschip de trossen van de sleepzakken gekapt. Het was van de achtergebleven zeelui een staaltje van hogeschool zeemanschap en teamgeest dat met succes beloond werd. Vlak achter de terugkerende reddingboot liep ook de 'Annam' behouden de pieren binnen.
Scheveningen Radio had de afgelopen uren intensief radiocontact met het schip onderhouden. Opluchting over de goed afloop klonk door in het radiobericht dat de vrouwelijke marconist al tussen de pieren aan het kuststation zond: "Thanks for good service, it was a great help for us."

Schipper Klaas Toxopeus.

Thuisreis van de 'Insulinde'

Opmerkelijk is, dat geen van de drie Noordelijke reddingboten deze nacht tot successen kwam, maar in alle gevallen omstandigheden meemaakten, die ongekend waren, met name bij hun terugkeer uit zee. Dat gold voor de 'Prins Hendrik', dat gold voor de 'Brandaris' en dat gold ook voor de 'Insulinde'.

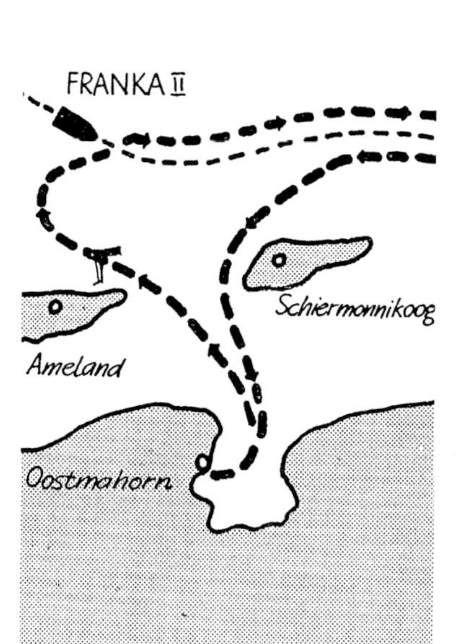

De tocht van de 'Insulinde'.

De 'Insulinde' had de 'Franka II' naar de Westereems begeleid en in deze tijd had de kapitein de slagzij weten weg te werken door de ballasttanks te laten vollopen. Om 09.00 uur kwam de kustvaarder onder escorte van de reddingboot voor de Westereems. Er waaide op dat moment nog een storm en de 'Franka II' kreeg een paar enorme zeeën te verwerken. De kapitein nam via de radiotelefonie contact op met de reddingboot en deelde mee dat hij het schip weer onder controle had en met de kop op zee op ruim water zou blijven tot de omstandigheden verbeterden. Hij dankte de reddingboot voor de geboden assistentie. Deze radiotelefonische dank zou later met een brief aan de reddingmaatschappij nog eens benadrukt worden.
De 'Insulinde' ging hierop op koers westzuidwest, terug naar het Friese Gat, terug naar Oostmahorn. De reddingboot en haar ervaren bemanning stonden echter voor een ongekende ervaring.
Een klein uur nadat ze de 'Franka II' achtergelaten had, liep de 'Insulinde' de branding voor het Friese Gat in. We volgen nu letterlijk een deel van het relaas dat schipper Klaas Toxopeus over deze episode in zijn boek 'Woest water' optekende:
"We stonden met z'n drieën in de stuurbrug: de stuurman, matroos Dijk en ik. De motordrijvers zaten hermetisch afgesloten in hun motorkamer. Wij aan dek hadden de reddingriemen omgebonden en de touwen ervan vastgezet.
Het was een harde tocht. We kregen verscheidene brekers over ons heen, maar ze deden ons niet veel kwaad. En we waren op het punt om voor de zee naar het Strandgat te gaan, toen plotseling een verschrikkelijk stuk water voor ons oprees. Waar het zo gauw vandaan kwam, weet ik niet. In een paar seconden steeg het als een muur bij ons op. Er was geen tijd meer om de kop van de 'Insulinde' ertegen in te gooien. De breker torende boven het voorschip als een berg. Ik schreeuwde nog: 'Houwen, jongens!' En daar kwam hij dwarszee over.
Zo'n klap als de 'Insulinde' toen kreeg, heeft hij nog nooit eerder gehad. De boot van vijftigduizend kilo werd als een gummibal opgenomen en weggeslingerd.

De 'Insulinde', station Oostmahorn.

De slagzij was negentig graden, de masten lagen in zee. Op hetzelfde ogenblik kwamen tonnen water over het schip, wij drieën gingen er totaal onder en hadden maar één gedachte: 'hij gaat ondersteboven, het is gebeurd met ons.' Dat duurde een paar eindeloze seconden. Half verstikt door de druk van het water werden we door de stuurbrug geslingerd. Maar de dappere 'Insulinde' richtte zich weer op. Het water stroomde weg, ik hing aan mijn riem, ik kon weer ademen. Mijn eerste blik was voor mijn kameraden. Matroos Dijk was verdwenen. Toen keek ik over de rand van de brug en zag hem aan de touwen van zijn reddingriem hangen. Hij hing aan de buitenkant van de reling, ik hees hem met één ruk binnenboord. Toen maakte de stuurman, die aan de loefkant muurvast zat, zich los."

Opmerking: In de vergadering van het bestuur van de reddingmaatschappij, gehouden op 10 februari 1953 sprak de voorzitter in dit verband de volgende opmerkelijke woorden over de gebeurtenis met de 'Insulinde'. Hij zei: "Door het feit, dat ze zich hadden vastgebonden met de enkele maanden geleden verstrekte veiligheidsriemen, werden zij niet overboord geslagen."

De 'Insulinde' zat ondertussen nog in de tomeloze branding en direct gooide de schipper de motoren op volle kracht vooruit om de volgende brekers het hoofd te bieden. Er volgde echter geen reactie, de motoren bleken stil te staan! Ze waren door de slagzij van meer dan 90 graden automatische afgeslagen. Op dit zeer hachelijke moment, terwijl een volgende grondzee zich opbouwde om zich op de 'Insulinde' te storten, ging het luik van de machinekamer een eindje open. De motordrijvers wilden kennelijk zien of er nog mensen aan dek waren. "Dicht!", schreeuwde de schipper en voordat de reddingboot weer onder meters water bedolven werd, was het luik al weer hermetisch gesloten. De motordrijvers hadden zekerheid. Rook uit de uitlaten duidde erop dat de motoren weer draaiden en daarmee kreeg de schipper de controle over zijn schip terug. Toxopeus schreef in het reddingrapport: "Ik wil hier mijn dank betuigen aan de beide motordrijvers Scheepstra en Frik die de kop erbij hebben gehouden, ondanks de zwieper die zij onderin hebben gemaakt."
De 'Insulinde' liet de heksenketel van de furieuze branding achter zich en op zondagmiddag liep de deerlijk gehavende reddingboot het haventje van Oostmahorn binnen, waar de hele bevolking was uitgelopen.

Klaas Toxopeus: "Met de voeten soppend in mijn volgelopen laarzen kwam ik ten slotte thuis. En toen viel alles wat wij hadden doorgemaakt plotseling als volkomen onbelangrijk weg. De berichten over de grote ramp in het Zuidwesten van ons land begonnen binnen te komen. Je denkt aan de zee die je deze dag als een wild beest hebt zien woeden en je hart krimpt ineen bij de gedachte dat deze boosheid zich tegen weerlozen heeft gekeerd die op de hechtheid van dijken vertrouwden."

DE RAMP

In het Zuidwesten van ons land had zich inderdaad een ramp voltrokken. Terwijl de reddingboten en hun bemanningen in de avond en nacht op zee hun strijd met de elementen aangingen en vochten voor andermans en eigen behoud, lagen de meeste mensen in het deltagebied van Zuidwest-Nederland in bed, vertrouwend op de hechtheid van de dijken. Zij sliepen de slaap des gerusten of waren ongerust over de dakpannen op hun huizen, de bomen op het erf of het onrustige vee in de stal.

Zorgen van een geheel andere orde beheersten diezelfde avond de twee medewerkers van het KNMI in het verre De Bilt, die weekendienst hadden. Ze waren 's nachts weliswaar vrij van dienst, maar waren door onrust gedreven op hun post gebleven. Uit hun berekeningen bleek dat de optelsom van het springtij én de berg water die door de orkaan in de trechter van de zuidelijke Noordzee werd gestuwd, de komende nacht het kritieke punt van hoogwater zou bereiken en dat zelfs zou overschrijden. De mannen maakten zich geen illusie: de komende uren zou zich met name in het zuidwesten van ons land een ongekend gevaarlijke situatie ontwikkelen. Op eigen initiatief ondernamen ze pogingen om de Hilversumse radiozenders die nacht in de ether te houden.
Voor een goed begrip: anno 1953 waren telefonie en radiotelefonie in het burgerleven nog geen algemeen beschikbare middelen. De enige landelijk dekkende communicatiemiddelen waren de beide Hilversumse radiozenders, die echter iedere nacht - na een plechtig Wilhelmus - van middernacht tot de volgende ochtend acht uur geheel uit de lucht gingen.
De weerkundigen stelden voor om minimaal één radiozender in de lucht te houden om eventuele mededelingen of waarschuwingen te kunnen laten uitgaan. Hun voorstellen strandden op bureaucratie en niet bereikbare autoriteiten. En zo vielen de beide Nederlandse radiozenders 's nachts om twaalf uur stil.

Het vertrouwen in de kwaliteit van de dijken gold in meerderheid voor de burgerij, maar evenzeer voor gemeentelijke, provinciale en waterschapsbestuurders.
Relatief weinigen werden deze nacht door onrust naar de dijk getrokken. Maar degene die er waren, zagen het water in de loop van de avond rijzen, vanuit een laagwaterstand die overeenkwam met de gebruikelijke hoogwaterstand. Uit ervaring kenden ze de vloeden die in het verleden voor angstige situaties hadden gezorgd. Zij kenden ook de niet optimale toestand van de dijken, die - ondanks waterstaatkundige rapporten, waarin aangedrongen werd op maatregelen - weinig

aandacht hadden kregen, omdat de prioriteiten in het naoorlogse, herstellende Nederland elders gelegd werden. Een grote moeilijkheid om deze waterstaatkundige projecten van de grond te krijgen was bovendien de versnippering van 'bevelsstructuren' over diverse overheidsinstanties en een grote onoverzichtelijkheid in de financiële verantwoordelijkheden en verplichtingen, met name bij de vele honderden kleine, autonome waterschapsbesturen met alle hun eigen structuren, culturen en bestedingspatronen.

De dijken op de zeewaarts gerichte zijden van de eilanden hadden aangetoond de woede van de Noordzeestormen te kunnen doorstaan. Kwetsbaar waren echter de aansluitende dijkvakken, waarvan de hoogte op bepaalde plaatsen soms twee meter minder was dan aan de Noordzeezijde. Velen die deze nacht het water zagen stijgen, bekroop het bange voorgevoel dat deze nacht een heel andere als alle voorgaande zou worden.

Honderden schapen...

Op deze 31e januari steeg het water in de loop van de avond en nacht naar hoogten die het ergste deden vrezen; het naderde zelfs de dijkkruinen al angstig dicht, toen er nog vele uren tot hoogwater waren te gaan. De reacties op deze verontrustende ontwikkeling waren in algemene zin lauw en weinig structureel.
Op diverse plaatsen werden dijkdoorgangen - coupures - met balken en zandzakken gesloten en werden waterdoorlaten van de binnendijken gesloten. Heel vaak kwamen deze besluiten niet van hogerhand, maar waren het spontane, persoonlijke acties van particulieren.
Rond drie uur 's nachts begon het water op vele plaatsen over de dijken te komen. Ook zocht de zee met treffende precisie de zwakste schakels in de dijken op, zoals koeienpaden, zwakke coupures, of slecht gerepareerde dijkdelen.
Het bezit van telefoon was anno 1953 een voorrecht dat nog aan een selecte groep burgers voorbehouden was en hetzelfde gold voor auto's. Van een centrale alarmdienst kon daarom geen sprake zijn. Toen de situatie op diverse plaatsen te dreigend werd, werden de weinige beschikbare auto's van particulieren en verhuurbedrijven ingezet om de slapende mensen in de laaggelegen polders te waarschuwen voor het gevaar van dijkdoorbraken. Plaatselijke brandweerauto's, politiemannen, maar vooral ook burgers gingen op ronde, de polders in om alarm te slaan. Het geluid van de huilende storm ging samen met het gebeier van kerkklokken. Honderden gezinnen werden deze nacht door het gebons op ramen en deuren uit hun slaap gehaald. Velen namen de waarschuwing serieus en troffen maatregelen om met hun gezin naar een hoger gelegen deel van het eiland uit te wijken. Anderen weigerden de ramptijding te geloven. Afgezien van het stormge-

weld was er in de directe omgeving nog niets bijzonders te zien, en weigerden dus om te gaan.
Voor allen, zowel waarschuwer als gewaarschuwde, brak het moment aan waarop de wrede werkelijkheid zich aandiende. Een van de waarschuwers - die zijn vege lijf ternauwernood kon redden - herinnerde zich in een gesprek met auteur Kees Slager: “Ik hoorde opeens een merkwaardig geraas. En toen ik in die richting keek, zag ik in de nacht honderden schapen op me afrennen. Maar dat was het water!”

Zoals gebruikelijk kwamen de medewerkers van de radionieuwsdienst zondagsmorgens om zes uur op hun werk, omdat de Hilversumse zenders twee uur later weer in de kucht zouden komen. Bij het doornemen van de ‘s nachts binnengekomen berichten werd het ze al spoedig duidelijk dat de gemelde overstromingen niet enige polders met een overzichtelijke wateroverlast betroffen, maar dat zich in de voorliggende uren een ramp had aangekondigd, waarvan de onvoorstelbare omvang per uur duidelijker werd.
De nieuwsredacteuren probeerden toestemming te krijgen om eerder met hun nieuwsuitzendingen in de ether te komen, maar evenals bij hun collega’s van het KNMI, die dit al voor middernacht hadden geprobeerd, liepen ook hun pogingen stuk. En zo kon ontwakend Nederland pas om acht uur ‘s morgens kennis nemen van de tragedie die zich op dat moment in alle hevigheid in het zuidwesten van Nederland voltrokken had en nog steeds voltrok.
De ANP nieuwsdienst meldde: “In Zwijndrecht is de noodtoestand afgekondigd omdat er water over de ringdijk slaat. In Willemstad lopen de polders Ruygenhil en Oud Heyningen vol. Hulp van militairen is ingeroepen. Electriciteit is uitgevallen. Het stadje loopt onder.”

De mobilisatieoproep voor de militairen in Brabant luidde als volgt: “Met het oog op de heersende watersnood in het zuiden des lands – waarbij mensenlevens in gevaar zijn – en de daarbij te verlenen militaire bijstand, moeten alle militairen behorende tot het 33ste Regiment Infanterie, gelegerd te Oirschot, onverwijld naar hun garnizoen terugkeren. Dit geldt ook voor het personeel behorende tot het vierde Geniebataljon en het 1e en 2e Regiment Genietroepen, gelegerd in ‘s-Hertogenbosch en Geertruidenberg. Ook de militairen van het Corps Commandotroepen te Roosendaal moeten naar hun garnizoen terugkeren.”
Om half tien volgde op de Hilversumse zenders een mededeling die alle Nederlanders van de grote ernst van de situatie op de hoogte bracht: alle militairen met weekendverlof moesten onmiddellijk naar hun garnizoen afreizen. De volgende uren vulden de straten en stations zich met het legergroen van militairen die zich naar hun legerplaatsen haastten.

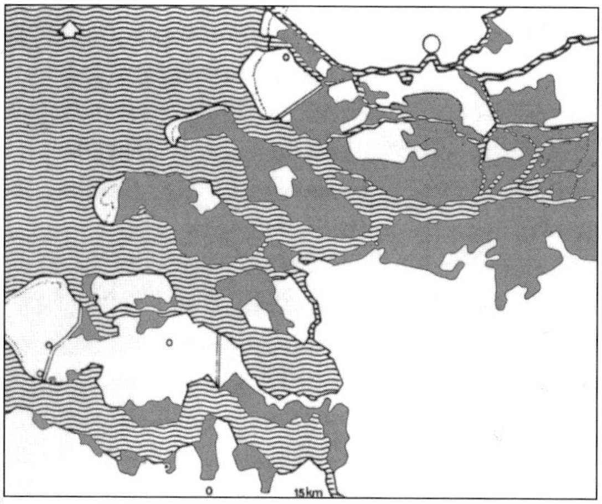

Het getroffen gebied in Zuidwest-Nederland.

In de voorliggende nachtelijke uren hadden vele honderden mensen in een gierende orkaan de dood in het aanstormende, kolkende water gevonden. In de loop van de volgende uren en dagen stierven velen door onderkoeling, vermoeidheid of doordat hun huizen instortten. Weer anderen werden het slachtoffer van de middagvloed, die zich in het nog steeds woedende stormweer door de steeds groter wordende dijkgaten naar binnen perste en opnieuw verwoestingen aanrichtte. Op daken wachtten de overlevenden op hulp: jonge en oude mensen, kinderen, zwangere vrouwen, gehandicapte mensen en bejaarden.
Op die eerste rampdag, zondag 1 februari, kwamen de eerste hulpacties niet van buitenaf, uit de inmiddels gealarmeerde rest van Nederland. Nee, die kwamen van plaats- en buurtgenoten, van mensen die aan de rand van het rampgebied woonden, van mensen die de vloedgolf of het instorten van hun huis overleefd hadden. Kortom, van mensen die handelend optraden. Maar het waren er te weinig en er was te weinig materieel voorhanden. Toch werden er die dag vele, vele honderden mensen door slechts enkelen in veiligheid gebracht. En dat alles onder zeer slechte omstandigheden: stormweer met sneeuwbuien.
Auteur Kees Slager beschrijft in zijn boek 'De Ramp' hoe de vissers van Zierikzee, Yerseke, Tholen en Bruinisse al in de vroege ochtenduren hulp boden, "terwijl het stormde als een oordeel en het steenkoud was."

Hellegat: kasten en stoelen

Tot de redders van het eerste uur behoorde ook de bemanning van de Stellendamse reddingboot 'Koningin Wilhelmina', die na de afgebroken reddingacties voor de 'Bore VI' Willemstad was binnengelopen. Schipper Willem de Jager en zijn mannen hadden onderdak bij particulieren gevonden, maar zouden maar weinig rust genieten.
Machinist Gerrit Roon van de 'Koningin Wilhelmina': "Toen wij in Willemstad waren, liep het in Stellendam al over de dijk heen. Dat bleek achteraf. Als we dat geweten hadden, waren we natuurlijk, hoe dan ook, naar Stellendam teruggegaan. In Willemstad zouden we eerst in een hotel slapen, maar omdat er een feest van studenten aan de gang was, ging het niet door. We zijn toen bij parti-

culieren ondergebracht. Bij die mensen hebben we thee gehad met een cognacje erin. Maar we lagen nog maar amper een uur in bed, toen ze ons al weer kwamen halen. Moesten we koeien uit de stal halen, want ze waren bang dat de boel onderliep. Dat werk lag me trouwens helemaal niet. Ik voelde me er niet op m'n gemak, in hartstikke donker midden tussen de koeien in die onbekende stal met die mestput ergens, onbehaaglijk gewoon. Het moet een uur of drie, half vier geweest zijn dat we die boer gingen helpen en we zijn er zo'n anderhalf uur bezig geweest, dus het was onderhand een uur of vijf, half zes. Toen kwamen we tot de ontdekking dat het zaakje er vol liep in Willemstad. Ik ben toen snel naar boord gegaan. Daar kwamen de anderen ook al gauw."

"Als we met slecht weer op zee waren, had ik over onze zender radiocontact met Hoek van Holland of Scheveningen Radio. Ik had voor radiotelefonie geleerd en er in Den Haag examen voor gedaan. In Willemstad waren alle communicatiemiddelen uitgevallen en toen kwam de burgemeester informeren of ik verbinding met de buitenwereld kon maken. Toen heb ik Scheveningen Radio opgeroepen en verbinding gelegd met het ministerie van Waterstaat voor hulp en zo. Het was toen een uur of zes, zeven, meen ik. Niemand had in de gaten wat er allemaal buiten Willemstad aan de hand was, helemaal niks.
We zijn later richting Stellendam gegaan. We konden eerst niet eens aan boord komen, zo hoog stond het water op de kade. En toen zakte het ineens, dus het water had ergens een uitweg gevonden. Op dat moment zijn de polders ondergelopen, natuurlijk. We konden nu redelijk aan boord komen, maar je had eigenlijk nog geen voorstelling van wat er gebeurd was. Dat ging je je later pas realiseren.
Toen we naar Stellendam onderweg waren, begon het onderhand al een beetje te dagen en op het Hellegat voeren we al door huisraad, door kasten en stoelen. Toen wisten we dat er ergens iets helemaal niet goed zat. Maar nog geen idee dat dat ook Stellendam kon zijn, het kon immers ook uit Zeeland komen. Maar toen we meer in de richting het eiland, langs Den Bommel, Dirksland, Middelharnis, zagen we daar ook van alles drijven. Toen wisten we genoeg.
Bij het naderen van Stellendam zagen we dat de dijken doorgebroken waren. In de haven zagen we een hoop mensen die naar de vissersschepen gevlucht waren. We wisten ook niet hoe het er met onze familie voorstond, het was allemaal ongewisheid.
Ik ben eerst nog even naar het scheepje van mijn vader geweest. Daar was iedereen, behalve mijn ene broer. Die was nog vrijgezel en was 's avonds naar zijn meisje gegaan en was daar natuurlijk gebleven. Mijn ouders hadden thuis op zolder gezeten, maar moesten uiteindelijk toch opbreken. Ze zijn naar de buren gegaan, want hun ledikanten stonden zelfs in het water. Het huis van de buren was hoger, Via, via zijn ze daar gekomen, met planken en een zelfgemaakt vlot."

Redders van het eerste uur

Op het moment dat de 'Koningin Wilhelmina' in Stellendam arriveerde, was er al een begin gemaakt met het reddingwerk. De vlet van de reddingmaatschappij, die gewoonlijk in het Haringvliet lag, was over de dijk gesleept en aan de binnenkant weer te water gebracht. De bemanning van de 'Koningin Wilhelmina' sloot zich bij de hulptroepen aan.
Gerrit Roon: "Na aankomst zijn we direct gaan redden. Mijn vader was al met de reddingvlet in de weer. Het weer was nog zo slecht en er liepen zulke hoge golven dat die vlet niet overal kon komen. Op den duur is dat toch gelukt. Die vlet van de reddingmaatschappij was nogal een groot ding en zonder motor of niks, maar dat was misschien maar goed ook, want de schroef had je toch niet kunnen gebruiken. Je wist gewoon niet hoe je door de troep moest komen. Bossen stro, huisraad, van alles dreef er. Het was heel moeilijk om bij de huizen te komen. Beetje peddelen en bij de huizen langs trekken, zo moest je het een beetje doen. Zo haalden we ze van de zolders af. De houding van de mensen was wel rustig, over het algemeen. Ik weet niet hoeveel we er gered hebben, want aan tellen deden we niet, natuurlijk. Maar zo'n zes-, zevenhonderd, staat in het rapport. Zoiets is het inderdaad wel geweest."

Reddingbootschipper Willem de Jager vatte de gebeurtenissen als volgt in zijn journaal samen: "'s Middags met de vlet van de Maatschappij het dorp in, ben medegeweest, diverse personen naar schatting gered met de vlet, 6 à 7 honderd. Ook zijn er nog jongens van ons met andere boten meegeweest. 's Nachts van Zondag op Maandag hulp gevraagd via de radio over Scheveningen Radio aan de Minister van Verkeer en Waterstaat. 2 Februari 's morgens 6 uur honderdtwintig man van een Marinevaartuig afgehaald dat in moeilijkheden verkeerde bij de Scheelhoek."

Machinist Ger Roon.

Het verzoek om hulp bij het ministerie werd aldus door de schrijvende pers verwoord.: "Noodkreet uit Stellendam. De reddingboot van Stellendam heeft hedennacht om half 2 via Scheveningen Radio het ministerie van Verkeer & Waterstaat om onmiddellijke maatregelen gevraagd. De toestand wordt heel ernstig genoemd. In het radiocontact is verzocht een groot schip te zenden om de bevolking te evacueren."
Oud-machinist Roon: "Het was eigenlijk dezelfde procedure als eerder in Willemstad. Brandweercommandant Lou Visser kwam bij mij en die heeft toen via Scheveningen Radio met het ministerie gebeld en om hulp gevraagd. De

De 'Koningin Wilhelmina'.

volgende dagen hebben we veel gependeld en gevaren naar Hellevoet en naar Stad aan het Haringvliet, met evacués. Als er wat bijzonders was, werden we opgeroepen. In Hellevoetsluis lag een jacht, de 'May be', en dat deed dienst als tussenstation. Zijn zender was dag en nacht in de lucht. Ik herinner me ook een beurtschipper, die met zo'n honderd mensen aan boord aan de grond gevaren was. We hebben de mensen er afgehaald en naar Hellevoet gebracht. We hadden 't er druk mee."
De bemanning van de 'Koningin Wilhelmina' at, dronk en sliep wanneer en waar zich daarvoor de gelegenheid aanbood. In café Van Soest was er 's morgens brood en stond verder de hele dag erwtensoep op het vuur voor de evacués. Daar sloot de bemanning zich bij aan. Eenmaal werd geslapen bij een vishandelaar in Hellevoetsluis, maar de andere nachten werd daarvoor het café opgezocht.
Gerrit Roon: "We hebben daar een aantal keren min of meer overnacht, maar niet op een manier dat er een bed voor je klaar stond. Je zocht gewoon ergens een plekje en dan sliep je wat.
We zijn doorgegaan tot op woensdag. Toen was de schipper total loss. Dat was het eind en we moesten naar Hoek van Holland komen."

Tegen de avond van woensdag 4 februari werd koers gezet naar Hoek van Holland. De bemanning kreeg hier droge kleren, warm eten en de gelegenheid om

een beetje op verhaal te komen. De schipper en stuurman hadden opgezette polsen van het onafgebroken sturen en manoeuvreren. De reddingboot zou in Hoek van Holland blijven, maar de mannen wilden weer weg.
De heer Roon: "Dat gedeelte staat me niet zo helder meer voor de geest. Het staat me bij dat er een vrouw van een van onze opstappers naar, ik meen, Dirksland gevlucht was en dat we haar opgehaald hebben. Onze eigen gezinnen zijn ook allemaal naar Hoek van Holland geëvacueerd. Het kan dus zijn dat we de vrouwen en kinderen gehaald hebben en daarom terug naar Hellevoetsluis zijn gegaan. Ik denk dat het zo gegaan is."
In het archief van de reddingmaatschappij is hierover terug te vinden: "Onderweg naar Stellendam deden ze Hellevoetsluis aan, waar ze door de reddingmaatschappij van solide onder- en bovenkleding voorzien werden. Ze brachten vervolgens evacués over en kregen ten slotte op 6 februari definitief opdracht om naar Hoek van Holland te gaan, omdat Stellendam geen uitvalsbasis meer kon zijn."

Schipper Willem de Jager.

Hiermee eindigde het aandeel van schipper Willem de Jager en zijn mannen in het redden van burgers; een periode van vijf dagen onophoudelijk werken en zwoegen van de hele bemanning, want dat was het geweest. De 'Koningin Wilhelmina' stond de komende tijd echter niet onder commando van Willem de Jager. Bij de schipper was namelijk een ernstige bloedvergiftiging geconstateerd, waarvoor hij onmiddellijk in het ziekenhuis opgenomen moest worden. Hier volgde een gevecht om zijn eigen leven, dat gewonnen werd.

De 'Prinses Juliana'

Een van de boten van het eerste uur was ook de motorreddingvlet 'Prinses Juliana' van station Ouddorp, op Goeree. Onder schipper P. Bezuyen nam de boot op de eerste rampdag van 's morgens zes tot 's avonds zes onafgebroken deel aan het redden en evacueren van mensen in en rond haar eigen standplaats. Op de tweede rampdag werd er niet gevaren, maar op de derde rampdag werd de boot naar Schouwen gedirigeerd, waar ze verbindingsdiensten verrichtte tussen de hulpverlenende schepen onderling en de wal.
Vervolgens werd de vlet met zes marinemensen naar een dijkgat bij Viane gestuurd. De bedoeling was het dijkgat binnen te lopen, maar de vlet bleek te

veel diepgang te hebben. Het marinepersoneel werd in Bruinisse weer aan land gezet. Hierop werd de vlet naar een dijkgat bij Dijkwater gestuurd om daarlangs in Nieuwerkerk te komen, waar nog mensen geïsoleerd zaten.
Schipper Bezuijen schreef: "Door het gat de polder in gevaren, ongeveer twee meter water. Konden wegens diepgang niet verder. Konden met moeite dijkgat weer uit. De mensen van een botter hebben toen met een roeiboot nog negen mensen afgehaald. Konden verder niets doen.
Op 5 Februari uitgevaren naar Noord-Schouwen, Scharendijke. Hebben 23 mensen overgebracht met bagage, meest vrouwen en kinderen naar hospitaalschip op de ree. Met grote moeilijkheid zijn deze tochten gemaakt aangaande de vele obstakels die zich in en onder water bevonden, zoals hekpalen, heggen, kipkarren, grafzerken enz. Door het troebele water heeft zich ook de koelwaterruimte van de motor volgepompt met modder, enige keren geen koelwater gehad. Twee maal is de schroef vastgelopen in trossen prikkeldraad, touw enz. welke door overboord te gaan door mij is verwijderd."
Dit laatste was geen geringe opgave als we bedenken, dat het februari was en het reddingwerk ernstig werd belemmerd door de kou. Schipper Paul Bezuijen had ten gevolge van de ramp ook persoonlijke verliezen te betreuren, zij het dat die

De 'Prinses Juliana'. Links: Schipper Paul Bezuijen.
Tweede van rechts: Siem Bezuijen.

alleen van materiële aard waren. Daaronder was een bureau met een geheime la, waarin hij ondermeer zijn reddingmedailles weggesloten had. Het schrijfmeubel spoelde bij Scharendijke aan, waar het door de vinders uiteraard opengebroken werd. Ook de geheime la werd ontdekt en dat bracht de eretekenen aan het licht. De weg naar de rechtmatige eigenaar was vervolgens snel gevonden.

De 'Carthage' vraagt hulp

Terwijl de 'Koningin Wilhelmina' en de 'Prinses Juliana' en vele andere schepen en boten hun reddende acties op het overstroomde binnenland richtten, vertrok op dezelfde 1e februari de 'Neeltje Jacoba' van station IJmuiden om 17.20 uur naar zee voor het 56 jaar oude Franse stoomschip 'Carthage' van 2709 ton, dat drie mijl noordelijk van Noordwijk om reddingboothulp vroeg.

De zee was uitzonderlijk slecht. De reddingboot kwam goed de pieren uit, maar kon wegens de gevaarlijke zee geen koers wijzigen. Daarom werd eerst doorgevaren tot 4 mijl WNW van IJmuiden, waar de koers werd verlegd naar ZZW.

Het Franse stoomschip lag voor anker en in het geweld van wind en zee wist schipper Jaap van der Meulen omzichtig manoeuvrerend langszij te komen. Kennelijk putte de kapitein van de 'Carthage' moed uit het feit dat zijn ankers op dit moment hielden, want hij veranderde zijn voornemen. Hij besloot nu zijn mensen aan boord te houden en de hulp van een sleepboot in te roepen. Die sleepboothulp zou echter uitblijven, omdat bureau Wijsmuller het onder de heersende, extreem slechte omstandigheden onverantwoord achtte een sleepboot uit te sturen. De reddingboot, die onder dezelfde omstandigheden bij de 'Carthage' op en neer hield, bleef stand-by, maar toen er niets in de situatie veranderde, zette schipper Jaap van der Meulen om 21.20 uur koers naar IJmuiden.

Zestien uur in stormweer op zee…

Twee uur later - de terugkerende reddingboot was in het helse weer nog zo'n vier mijl van IJmuiden verwijderd - volgde een order van het plaatselijk bestuur om terug te keren naar de 'Carthage', die van haar ankers bleek te zijn geslagen en nu in zuidelijke richting langs de kust dreef. De reddingcommissie zou later over deze beslissing schrijven: "Het viel de plaatselijke commissie zwaar om in deze omstandigheden de 'Neeltje Jacoba' te verzoeken de steven te wenden."

De 'Neeltje Jacoba' worstelde zich hierop weer terug naar de aangegeven positie, maakte vervolgens een zoekslag langs de kust, maar trof geen 'Carthage' aan. Over de radio werd aan de wal gevraagd of ze wisten waar het schip ondertussen gebleven was. Het bleek al ter hoogte van Scheveningen te zijn. Later onderzoek leerde dat er twee schepen verwisseld waren, waardoor de 'Neeltje Jacoba' naar een leeg zeegebied

De 'Neeltje Jacoba'.

gestuurd was. De plaatselijke commissie verklaarde hierover later: "Bij onderzoek, toen de 'Neeltje Jacoba' reeds op weg was, bleek dit het Engelse stoomschip 'Selby' te zijn, dat zich echter zelf kon klaren. Toen de 'Neeltje Jacoba' bij Zandvoort kwam, was er dan ook niets te zien. Op aanwijzing van de semafoor werd de reis voortgezet.
Schipper Jaap van der Meulen in zijn reddingrapport: "Zijn toen koers gezet naar Scheveningen en zagen hem even later nog drijven in de richting van de vuurtoren, maar voordat de 'Neeltje Jacoba' bij hem was, liep hij aan de grond. We zijn er vlak bij geweest, maar onze mening was dat er geen gevaar meer aanwezig was en heeft de 'Neeltje Jacoba' langzaam koers gezet naar IJmuiden.
Bij deze tocht is enige schade opgelopen, vooraan de kopfender bij langszij Frans motorschip en verloren een reddingboei en een haak aan dek werd gekraakt. Door het vele, lange gebruik van het radiozenderontvangstation waren de accu's om ongeveer 04.00 uur uitgeput. De nieuwe motoren hebben prima gelopen."
In het rapport aan de reddingmaatschappij haakte de plaatselijke commissie op het rapport van de schipper in.
"Het laatste radiotelefonisch contact heeft te 03.30 uur plaatsgevonden, waarna afgesproken werd dat de 'Neeltje Jacoba' zou terugkeren. Daarna is de zender van de 'Neeltje Jacoba' wegens uitputting van de accu onklaar geworden. Met de meeste nadruk dringt de plaatselijke commissie er, mede namens de schipper, op aan dat onverwijld voorzieningen worden getroffen om het mogelijk te maken, dat deze accu's door de motoren van de boot bijgeladen kunnen worden. Thans is er van 03.30 uur tot 09.30 uur geen contact met de 'Neeltje Jacoba' geweest, wat als een volstrekt onaanvaardbare toestand gekenschetst moet worden."

Stuivertje wisselen

De onzachte aanrakingen van de 'President Jan Lels' met de 'Annam' waren de reddingboot van Hoek van Holland niet in de koude kleren gaan zitten. Het schip had huidschade en het roer liep steeds vast. Op deze manier was het schip niet meer inzetbaar en onmiddellijk nadat de schipper rapport had uitgebracht, werd besloten het schip de volgende dag naar de werf te sturen. Andere reddingboten moesten de lacune opvullen. Dat leidde de volgende dagen tot een rondedans van reddingboten in de Zeeuwse en Zuid-Hollandse wateren.
Twee reddingboten kregen opdracht andere posten in te nemen. De 'President J.V. Wierdsma' kreeg diezelfde zondagavond opdracht naar Hoek van Holland te gaan om daar haar geblesseerde zuster af te lossen. Deze reis van Breskens naar Hoek van Holland werd niet over zee, maar binnendoor gemaakt.
Het journaal: "Zondag 21.00 uur vertrokken. Binnendoor naar Hansweert. Aankomst 23.15 uur. 2 Februari om 00.30 uur geschut. 01.30 uur Wemeldinge".

Schipper J. Slis.

Hier liep de reddingboot tegen een gesloten sluis aan en kon de reis pas na zevenen worden vervolgd. "Over Zeeland naar Dordrecht, Oude Maas op tot Barendrecht" schreef schipper J. Slis. Ondertussen kreeg men opdracht om terug te keren naar de Tiengemeten.

In de Zeeuwse en Zuid-Hollandse rivierendelta was inmiddels een gehele rampzondag verstreken, waarin de buitenwereld geen hulp aan de watersnoodgebieden op de centrale eilanden had kunnen leveren. Ook op maandag ontbrak een generaal overzicht kennelijk nog, want de reddingboot 'President J.V. Wierdsma' kreeg aanvankelijk geen enkele opdracht in het kader van de overstromingen. Pas 's maandags tegen het middaguur realiseerde men zich aan de wal pas dat de reddingboot een noodgebied letterlijk links liet liggen. Hierop volgde de opdracht om op het eiland Tiengemeten poolshoogte te gaan nemen. Uit het rapport van schipper Slis blijkt, dat de hulporganisatie op deze tweede rampdag nog grote hiaten vertoonde.

"Kreeg bericht naar Tiengemeten te gaan en te melden bij autoriteiten. Keerden direct terug. Dordtse Kil weer uit naar Tiengemeten. 13.50 uur aankomst. Troffen daar geen autoriteiten aan. Heb seinpost Hoek van Holland ingelicht. Kreeg ten antwoord dat wij maar zien moesten wat wij redden konden wat in moeilijkheden verkeerde daar de gehele Tiengemetenpolder vol water stond en net de buitendijk droog was waar wij wal hadden. Vijf minuten daar vandaan stond een boerderij waar wij ons naar toe begaven. Daar troffen wij nog zes menschen en twee kinderen aan. Een man zat daar met zijn been in het gips die mij verzocht of wij hem niet dwars van de boerderij konden opladen wat ons mocht gelukken, de man en twee kinderen. De andere vijf bleven op de boerderij om het vee te helpen wat zij nog gered hadden. Wij voeren nog wat verder. Man, vrouw en twee kinderen aan boord genomen. Overgegeven aan politieboot."

Schipper Slis beschreef de weersgesteldheid als volgt: "Wind NW 8 met zware buien." Let wel: voor de mensen in de ondergelopen gebieden, die nu al meer dan een etmaal in barre omstandigheden verkeerden, golden dezelfde weersomstandigheden!

Inmiddels bleek de schade aan de boot van Hoek van Holland mee te vallen en Slis kreeg opdracht om terug te keren naar Breskens. "Terug 3 Februari te 19.00 uur", schreef de schipper.

Schipper Jan Minneboo.

We blijven nog even in de Zeeuwse wateren. Diezelfde zondagavond, waarop de 'Wierdsma' losmaakte met bestemming Hoek van Holland, moest ook een andere reddingboot stuivertje wisselen, kennelijk om daarmee een evenwichtiger verdeling van reddingmaterieel aan de kust te krijgen. De 'Maria Carolina Blankenheym' ging van Veere naar Vlissingen, waar ze de volgende dag arriveerde. Aan boord waren schipper Jan Minneboo, stuurman Kobus Minneboo, tweede machinist Nol Huybrecht en matroos Cies Minneboo. Eerste machinist Oele was kennelijk nog niet hersteld van zijn kwetsuren, opgelopen tijdens de tocht naar de 'Bore VI', want hij ontbrak.
Cies Minneboo: "We vonden het eigenlijk maar raar dat we naar Vlissingen moesten. 'Ze hebben Breskens toch', zeiden we tegen elkaar. Maar die boot moest dus naar Hoek van Holland. Dat soort zaken maakten ze op het hoofdkantoor uit."
De achtergrond van deze ogenschijnlijk merkwaardige rondedans van reddingboten was vermoedelijk dat men de 'President Jan Lels' door haar zusterschip wilde laten aflossen. En dat was 'de Wierdsma' van station Breskens. De boot van Veere moest daarom naar de Westerschelde, maar kreeg niet Breskens, maar Vlissingen als tijdelijk reddingstation aangewezen. Het journaal over deze tocht luidde:

"Bericht gekregen van de agent als dat Blankenheym direct naar Vlissingen moest op station daar de Wierdsma vertrokken was naar Hoek van Holland, om 21.00 uur vertrokken binnendoor, om 23.30 uur te Wemeldinge, konden niet verder daar er niet werd geschut voor 's morgens 6 uur."
Zo'n twee uur later zou aan de andere kant van de sluis de 'President J.V. Wierdsma' vastmaken, eveneens om te wachten op de eerstvolgende schutting. Let wel: de hele nacht en dag waren er schepen op de Nederlandse kust gelopen, waren reddingboten onder extreem slechte omstandigheden buitengaats, speelde zich in de onmiddellijke omgeving en op een deel van het eigen eiland een ramp van ongekend formaat af, liepen in Nederland en in het buitenland meelevende burgers massaal te hoop om hulpgoederen in te leveren. Welnu, in deze samenhang moesten twee reddingboten in Wemeldinge kostbare uren in ledigheid slijten omdat er voor zes uur 's morgens niet geschut werd.
In de reddingjournalen vinden we hier geen aanmerkingen over. De 'Wierdsma' was op 2 februari om zeven uur door de sluis en liep om 10.30 uur Vlissingen binnen. Schipper Minneboo: "Direct gemeld bij Commissaris Loodswezen en

mijn diensten aangeboden. Op verzoek van 2e machinist Huybrecht gevraagd aan Commissaris of hij naar huis kon gaan daar zijn zaak te Veere onder water had gestaan en hij graag zijn spullen thuis wilde klaren. Bij goedvinden van de Commissaris is Huybrecht om 20.00 uur vertrokken en hebben wij een machinist van het Loodswezen ter beschikking gekregen, machinist Rijswijk van de afhaaldienst."

De overlevenden van de watersnoodramp gingen die nacht hun derde vloed in: in storm, sneeuwbuien en te midden van het nog steeds woeste zeewater.
Een dag later dienden de eerste gecoördineerde reddingacties zich aan. Op 3 februari liepen er ook reddingboten van de Noordelijke reddingstations het territorium van zustermaatschappij 'De Zuid' binnen.

HULPTROEPEN

In de avond van de eerste rampdag 1 februari was door het bestuur van de Noordelijke reddingmaatschappij besloten enige reddingboten naar het rampgebied te sturen. Het waren de 'Prins Bernhard' van Scheveningen , de 'C.A.A. Dudok de Wit' en de in Harlingen liggende reserveboot 'Dorus Rijkers'.
De 'Prins Bernhard' was beschikbaar omdat de waterdichte tractor niet klaar voor gebruik was en de reddingboot daardoor feitelijk vleugellam was. De boot werd nog dezelfde zondagavond overgevaren naar de Onderzeedienst in de Waalhaven in Rotterdam, waar het reddingmaterieel voor de noodgebieden werd verzameld. De 'C.A.A. Dudok de Wit' was tijdelijk overcompleet, omdat ze wegens de sterke kustafslag toch niet kon worden gelanceerd. Deze boot werd op 2 februari door de tractor 'Zee-olifant' van Zandvoort naar de Leidse Vaart getrokken en daar te water gelaten. 's Avonds om 11 uur meldde deze boot zich present bij de Onderzeedienst in Rotterdam. Voor de reserveboot 'Dorus Rijkers' traden twee oudgedienden aan: de oud-schipper Mees Toxopeus en de oud-motordrijver Reyer Eelman. De bemanning werd gecompleteerd door de adjunct-inspecteur Prevoo van de reddingmaatschappij te Amsterdam.
Stuurman Verhoef van station Lemmer had zich eveneens beschikbaar gesteld om met een boot naar het rampgebied te gaan. 's Maandags werd hij door de reddingmaatschappij gevraagd om met de 'C.A. de Tex' van Hindeloopen naar het rampgebied te vertrekken. Bij het vaarklaar maken van de boot bleek, dat er twee zuigerkleppen moesten worden vervangen. Het was daardoor al maandagavond, eer de reddingboot voor haar missie vertrok. Kort naar haar vertrek werd ze echter teruggeroepen, omdat er al genoeg reddingschepen in het rampgebied waren. Naar later bleek, was dit een onjuiste beslissing, omdat in de ondergelopen gebieden juist een grote vraag bestond naar schepen als de 'C.A. den Tex'.

Hoewel op zondag in het hele land al hulptroepen werden geformeerd, particulieren spontaan als helper naar het rampgebied afreisden, kledinginzamelingen gestart werden en militairen zich naar hun legerplaatsen haastten, was het voor de in nood verkerende mensen in de rampgebieden een bittere realiteit, dat ze het de hele dag en de volgende nacht vrijwel zonder enige hulp van buitenaf hadden moeten stellen.
Hoewel bepaalde facetten van de organisatie kanttekeningen verdienen, was de generale werkelijkheid dat georganiseerde hulp op grote schaal eenvoudig niet eerder gerealiseerd kon worden. Op de tweede rampdag kwam daar verandering in. Onder de hulptroepen van buitenaf was ook een contingent uit een

Terug in actieve dienst: schipper Mees Toxopeus.

onverwachte hoek: een vloot Urker vissersschepen. Zij zouden een dominant stempel drukken op de reddingswerkzaamheden op en bij vooral Schouwen-Duiveland.
Hun spoedige aanwezigheid had ondermeer te maken met het feit dat een groot deel van de Urker Noordzeevloot haar visgronden in deze periode om de Zuid had. Wegens de grote afstand tot de thuishaven gebruikten de vissers Breskens als uitvalsbasis.
De verbindingen tussen deze tijdelijke domicilie en Urk waren in de jaren vijftig echter nog gecompliceerd, vroegen een lange reisduur en kostten uiteraard veel geld. Om financiële en praktische redenen bleven veel vissers daarom één of meer weekeinden in Breskens achter. Dit was zo structureel dat er door de vissers een gereformeerd kerkje gesticht was, waar een dominee in oecumenische diensten voorging.

Terug in actieve dienst: motordrijver Reyer Eelman.

De Urkers

De drieënveertig jarige Urker visser Hessel Snoek was in het weekeinde van de 1e februari thuis op Urk en had die zondagochtend de radio beluisterd. Hij hoorde de eerste berichten van de rampspoed die Zuidwest-Nederland getroffen had en van het menselijk leed en de materiële schade die de orkaan had aangericht. Hij was er niet gerust op; hoe zou het er met de schepen in Breskens voor staan? Telefonisch contact met Breskens mislukte, waarop de schipper besloot handelend op te treden.
Voor kerktijd ving hij een aantal collega's op, met wie hij in conclaaf ging om te kijken wat hen in deze situatie te doen stond. Hun oordeel was, dat ze na deze orkaannacht en in de nog steeds voortwoedende storm naar hun schepen moesten om poolshoogte te nemen. Misschien konden ze ter plekke ook wat voor de mensen in nood betekenen.
Zo vertrok die zondagochtend nog voor het begin van de kerkdienst een taxi met vijf Urker schippers naar Zeeland. Het waren J. van den Berg van de UK 60, A. Romkes van de UK 2, J. Kramer van de UK 202, H. Snoek van de UK 141 en K. Romkes van de UK 68. Onderweg werd het de mannen duidelijk dat zich in de rivierendelta een niet te overziene tragedie had voltrokken, waarin zij met hun

schepen misschien hulp konden bieden. Nog voor ze Breskens bereikt hadden, besloten ze Urk te bellen om hun bemanningen na te laten komen. Op deze 1e februari trad een kenmerkende eigenschap van de Urkers op: zelfstandig en verdeeld in individuele zaken, maar onverbreekbaar verbonden in tragische omstandigheden.

Jacob Snoek maakte deel uit van de opgeroepen ploeg bemanningen en herinnert zich: "Toen de taxi met de schippers niet door de tunnel bij Antwerpen kon, werd het ze duidelijk wat er werkelijk aan de hand was. Toen heeft mijn vader Urk gebeld en gezegd dat de bemanningen ook moesten komen. Toen de kerk uit was, kwamen we bij elkaar en zijn we met zo'n tachtig man in bussen gevolgd."
De kopgroep van vijf schippers was inmiddels al in Breskens gearriveerd, waar ze geconfronteerd werden met de gevolgen van de orkaannacht. De chaos was compleet; twee kotters met een diepgang van zo'n tweeëneenhalf tot drie meter bleken bijvoorbeeld radicaal op de kade te zijn gezet. Met hun collega's, die al in Breskens aanwezig waren, werd nu een plan opgesteld om de mensen in de ondergelopen gebieden te hulp te komen.

Alle in Breskens aanwezige Urker bemanningsleden werden over de beschikbare kotters verdeeld om zoveel mogelijk schepen te kunnen bemannen, waarop de vloot vertrok.
Onder leiding van schipper Louwe de Boer zette het konvooi koers naar Vlissingen, waar scheepsraad werd gehouden over het vervolg van de tocht. Een reis buitenom werd wegens het voortdurende noodweer niet wenselijk geacht. Voor de reis binnendoor werd een Rijksloods opgeroepen, die echter niet enthousiast was over het idee om zich onder deze omstandigheden – harde wind, sneeuwbuien, verdwenen en verdreven boeien – in het avontuur te storten.
Hierop werd besloten dat Hessel Snoek met zijn botter het voortouw zou nemen. Als hij aan de grond zou raken zou dat minder desastreus zijn dan bij de kielschepen. Zo vertrok de vloot met assistentie van de Rijksloods naar Hansweert; de platboomde botters voorop, de kielschepen in de staart. Via het Kanaal door Zuid-Beveland, dat nu gedeeltelijk in overstroomd gebied lag, bereikte de vloot op maandagmorgen Wemeldinge. Hierna werd de Oosterschelde overgestoken en 's maandags, tegen het middaguur arriveerde de vloot in Zierikzee.

In de loop van de zondag was ook de nagekomen groep vissers in Breskens aangekomen en over de achtergebleven schepen uitgezwermd. Ze volgden direct hun eerder vertrokken collega's.
Jacob Snoek: "Toen wij uiteindelijk in Zierikzee aankwamen, werden we daar door allerlei bootjes en schepen naar ons eigen schip gebracht. Er waren daar op

Hulpkonvooi op de Oosterschelde.

dat moment van die snelle landmachtbootjes genoeg. Later waren er ook Engelse landingsvaartuigen. Daar moesten amfibievoertuigen op om de mensen uit de polder te halen. Ik herinner me dat ze zich afbeulden om die amfibies op die landingsvaartuigen te krijgen. Met palen en veel geweld, wat een gemartel. Maar dat kwam door onkunde. Mijn vader is toen opgetreden. Hij sprak geen Engels, maar de commandant begreep het al gauw. Ze moesten gewoon een paar uur wachten, dan kwam het water terug. Die commandant begreep het en een tijdje later konden ze er zo oprijden. Maar er was meer hulp uit Urk onderweg. We hadden indertijd een vloot van zo'n 140 IJsselmeerscheepjes en daar waren er ook bij die je zo op een vrachtwagen kon zetten. Die kleine bootjes zijn er op vrachtauto's heengegaan. Maar voor die aan het werk gingen, was het al dinsdag, meen ik. En er was eerst maar één helikopter. Na een tijdje kwamen er meer, ook marineschepen, trouwens. Ik herinner me een jonge meid die op een vastgebonden brancard onder de helikopter lag. Na de landing vloog ze overeind en was haast niet te houden, zo blij was ze. Een stukje vreugde in de ellende, want in Zierikzee dreven de dode koeien met de stroom bij onze botter langs."

Ook in andere plaatsen vertrokken vissers om in de getroffen gebieden hulp te verlenen. Scheveningers, uitgerust met negentien sloepen, vertrokken naar het rampgebied en redden daar tweeduizend mensen.

In de nacht van 2 op 3 februari vertrokken twaalf kotters van Den Helder naar Middelharnis. Het waren de HD 7, 12, 24, 25, 26, 34 , 37 , 47, 67, 74, 80, 116 en 162. De HD 24 en HD 34 lagen eigenlijk in reparatie maar sloten zich ook aan. Bovendien de VD 9 uit Volendam. Het Koninklijk jacht 'Piet Hein' vertrok van de rijkswerf om als noodhospitaal ingezet te worden.
Uit Vlissingen schoten eveneens visserschepen te hulp. Ze werden via de mijnmeester te Vlissingen door de Koninklijke marine naar de rampgebieden gedirigeerd en waren met tien schepen in Beveland, Bruinisse en Zierikzee actief bij het reddingwerk. Ook Volendamse kotters waren bij het reddingwerk betrokken.
De IJM 213 was reeds op maandag 2 februari in het overstromingsgebied en had een aanzienlijk aandeel in de evacuaties. Het schip verzorgde daarna geruime tijd een geregelde communicatie met Burghsluis, vaak onder zeer moeilijke omstandigheden.

Hessel Snoek

De leiding van de Urker vloot berustte bij schipper Hessel Snoek en dat was niet verwonderlijk. De schipper bekleedde in de Urker samenleving diverse functies op sociaal en kerkelijk gebied en bezat door presentatie, woord en daad een natuurlijk overwicht. Door een gelukkige combinatie van daadkracht en tact had hij ook het talent om leiding te geven. Het waren eigenschappen die bij diverse gelegenheden binnen de Urker gemeenschap aan het licht waren getreden en door een ieder werden erkend en gerespecteerd.
De Urkers arriveerden 's maandags, op de tweede rampdag in het noodgebied en traden onmiddellijk handelend op. Ze maakten daarbij ook gebruik van

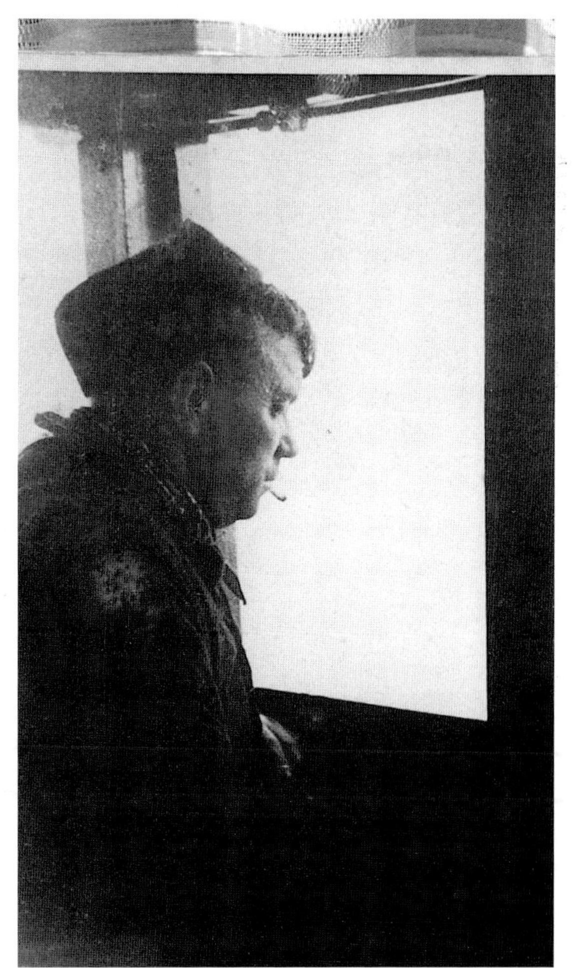

Schipper Hessel Snoek.

hun radiozenders, wat uiteindelijk tot een kakofonie van berichten over en weer en met kuststation Scheveningen Radio leidde. Het kuststation, dat ook de handen vol had aan haar reguliere taak, de verbindingen met schepen op zee, raakte hierdoor langzamerhand overbelast. Schipper Snoek bracht ordening in de berichten, waardoor de radioverbindingen een gestructureerd karakter kregen.

Over het optreden van de vissers in deze eerste fase schreef kapitein ter zee b.d. C.J.W van Waning naderhand in zijn evaluatie: "De wijze waarop, speciaal de Urker vissersvloot, geheel op eigen initiatief en zeer vroegtijdig in georganiseerd verband onder leiding van schipper H. Snoek, aan het reddingswerk op de Zeeuwse eilanden deelnam, verdient bijzondere vermelding. Nadat de vissersschepen hun prachtige reddingwerk met eigen roeisloepen hadden voltooid, vielen zij in diverse havens van Schouwen-Duiveland binnen, ondermeer te Zierikzee en Zijpe."
Een weinig bekend feit is, dat een aantal binnenschepen en kustvaarders al direct na de rampzalig verlopen nacht hulp bood. Zeker drie binnenschepen hadden de ruimen boordevol evacués, die naar veiliger oorden werden gebracht. Een aantal onbekend gebleven kustvaarders lag voor de dijkgaten geankerd en vingen de boten op die met geredden uit de ondergelopen gebieden kwamen.

Een probleem van de eerste orde was het ontbreken van communicatiemiddelen in het rampgebied, als telefoon- en radioverbindingen. Het gevolg hiervan was, dat van de hulptroepen niet van elkaar wisten wat ze deden. Mede door het ontbreken van verkenningsvluchten op zondag duurde het tot maandag (!) voordat het meest getroffen gebied, Schouwen-Duiveland, door de buitenwereld als rampgebied 'ontdekt' werd. De vuurtoren, van waaruit een groot deel van het overstroomde eiland te overzien was, beschikte als kustwachtpost indertijd nog niet over radiozendapparatuur.

Pas in de nacht van zondag op maandag werd de buitenwereld gealarmeerd door een eerste, summiere verbinding van een zendamateur. Een andere, heldere, zeer onverwachte en ook curieuze verbinding werd die nacht door de zender van het stoomschip 'Bore VI' gelegd, het schip dat een etmaal eerder op het strand bij Haamstede gestrand was!
De oplossing van het immense communicatieprobleem was echter nabij in de persoon van de reserve-luitenant 2e kl. W.H. Dekker. In zijn contacten met de Urker vissers realiseerde hij zich dat de vissersschepen – alle uitgerust met radiozendapparatuur - een schitterende gelegenheid boden om een communicatienet op te zetten. Hij stelde zich in verbinding met de kapitein ter zee b.d. C.J.W. van Waning, die als fungerend Commandant Maritieme Middelen was aangesteld.

C.J.W. van Waning

Zoals velen met hem had de voormalige kapitein ter zee zijn diensten voor hulp in het rampgebied aangeboden. De Commandant Maritieme Middelen in Rotterdam besloot de charismatische vrijwilliger tot fungerend Commandant Maritieme Middelen in Zierikzee te benoemen. Het zou een benoeming blijken die gelukkig gekozen, maar toch ook ongebruikelijk was. Een gelukkige keus wegens het organisatorisch talent van de heer Van Waning en diens uitgesproken talent in omgang met mensen van velerlei slag en achtergronden. Een ongebruikelijke keus, omdat het in de rede had gelegen voor deze functie uit het ruime arsenaal van actieve officieren van de strijdmacht te putten.
De functie van de heer Van Waning groeide in zeer korte tijd uit tot dimensies die niemand waarschijnlijk voor mogelijk heeft gehouden, inclusief de hoofdpersoon zelf. Zijn functie omvatte al spoedig overleg met, maar ook dringende verzoeken aan burgerautoriteiten en militairen, die deze zonder uitzondering als orders interpreteerden en overeenkomstig uitvoerden. Hij tekende de stukken met de titulatuur kapitein ter zee buiten dienst. Overeenkomstig zijn oude rang werd hij benaderd en werd er ook aan hem geadresseerd. Het charisma en de charme van de oud-hoofdofficier waren ingrediënten die de hulpverlening in de breedste zin ten goede kwam.

Van Waning als actief marine-officier.

Opmerkelijk is, dat de toevoeging 'b.d.' in latere correspondentie over en weer niet meer gebezigd werd. In de gevoelens van allen en zichzelf was hij kennelijk weer in de status van actief dienend marineofficier teruggekeerd.
De wijze waarop zijn leiding door ministeries, burgers en militairen werd geaccepteerd moet de oud-kapitein ter zee - hoewel aangenaam – toch hebben verrast. In zijn naderhand uitgebrachte evaluatie bracht hij nadrukkelijk dank voor de wijze waarop het burgerlijke en militaire milieu zijn verzoeken en aanwijzingen zonder enig voorbehoud hadden opgevolgd.

Communicatie

Na zijn benoeming was Van Waning per binnenschip 'Atalanta' van Rotterdam naar Zeeland vertrokken, waar hij zich in Zierikzee installeerde en daar in korte tijd een efficiënte hulporganisatie van burgers en militairen opbouwde.
Op 3 februari meldde zich daar de luitenant 2e klasse W.H. Dekker die hem op de mogelijkheid van een communicatienet met vissersschepen attendeerde.

Rond het uitgebreide rampgebied van Schouwen-Duiveland werd nu een ring van vissersschepen gelegd, die met hun radiozendapparatuur als radiopost gingen dienen. Schipper Hessel Snoek werd als centrale post aangewezen en zou de daaropvolgende dagen als onbetwist coördinator en organisator optreden, wat hem de betiteling 'Admiraal van de Urker vloot' zou opleveren.

"Het is zeker ook aan dit radiocommunicatienet te danken, dat de autoriteiten in Den Haag en elders in den lande, althans vanaf Maandag een duidelijker beeld kregen van de ernst van de toestand op het eiland Schouwen en Duiveland", schreef Van Waning in zijn evaluatie: "In bepaalde gevallen bleek het radioverkeer van de schepen onderling en met Scheveningen Radio niet altijd optimaal. Uitstekende diensten verrichtte de scheepszender van het jacht 'May be' in de haven van Hellevoetsluis, dat zich in deze hectische eerste dagen als radiotussenstation aanbood. Eigenaar J. van Rietschoten liet enige technici van zijn bedrijf daarvoor dagen achtereen continu radiodienst doen."

Van de Urker vloot gingen er ondertussen ook individuele bemanningen met sloepen en boten op uit om mensen uit de overstroomde gebieden te halen. Toen de derde nacht van de ramp zich aandiende, waren vooral op Schouwen-Duiveland en Goeree nog velen niet gered.

Jacob Snoek: "Er waren Zeeuwse mosselboten die echt met levensgevaar door de dijkgaten voeren. Maar als het water weer zakte, moesten ze weer wegwezen, want dan hielden ze geen water genoeg. Rubberboten waren er ook wel, van de mariniers. Daar bewaar ik goede herinneringen aan, want dat waren geen kinderachtige jongens, hoor. d' Er ging er een bij ons ondersteboven en die knapen bij ons aan boord. Je zou zeggen dat ze dan de kleren wel even uit wilden, maar ze aasden er niet op om hun kleren uit te doen. Gewoon met elkaar rond ons kacheltje, het duveltje, en toen de boot weer in. Daar zaten ze niet mee.
Naast de Urkers had je ook de vissers uit de buurt, zoals de mosselaars, maar ook Scheveningers, IJmuidenaars, Texelaars en de 'Poolster', de kabellegger van de PTT. Die Texelaars moesten nog helemaal van hun eiland komen, dus die waren eigenlijk een beetje aan de late kant.
De Urkers lagen allemaal op vaste punten en als ze een melding hadden, ging die naar de UK 141 toe, naar ons dus. Vader speelde dat dan weer door aan de autoriteiten, via Scheveningen Radio. Dat was de enige manier, want toen ze het nog niet zo geregeld hadden, kon Scheveningen Radio niet meer aan grijpen, daar kwam je niks verder mee. Op deze manier liep de zaak prima.
Zo konden ze de hulp ook concentreren. Als zo'n polder dan uiteindelijk leeg was, gingen ze naar de volgende."

Dienstdoend schipper Siem Bezuijen.

Op maandagsavond vertrokken de rede-afhaalboot 'Spiering' van het Loodswezen en een vlet van Maassluis. Ze werden gevaren door vrijwilligers van de loodsdienst. Op de 'Spiering' fungeerde de binnenloods der 1ste klasse C.G.J. Valkenier als dienstdoend schipper. De matroos-motordrijver Siem Bezuijen – die ook opstapper op de 'President Jan Lels' was - voer de vlet als dienstdoend schipper. De boten werden verder bemand door machinist-motordrijver D. Kodde en matroos A. Servaas. Er werd bepaald niet gedraald, want nog dezelfde nacht arriveerden de boten om 01.40 uur bij het eiland Tiengemeten. In het eerste ochtendgloren werden met de vlet op de oostzijde van het eiland vijftien broden op een boerderij afgegeven.
Het journaal van de 'Spiering' hierover: "De grootste concentratie vluchtelingen bleek ± 20 minuten stomen om de West te zijn waar wij ons met de vlet aan de wal begaven. Troffen 55 personen aan. Verder voorzien van 45 broden en margarine. Verder naar vluchthaven Zijpe. Aankomst 09.00 uur. Café 't Veerhuis werd door burgemeester aangewezen als centrale distributiepost. Hier restant van 900 broden gelost. Op verzoek ging de vlet verder naar het dijkgat bij Viane. De 'Spiering' volgde later. Het binnenvaren van de vlet was niet mogelijk, omdat het water te laag en de stroom te sterk was. Om 15.30 uur lukte het met de vlet door het dijkgat te komen en ze stoomde verscheidene vaartuigen voor naar Nieuwerkerk. Om 19.30 uur vlet langszij van de 'Spiering' met dertig personen. Werden later overgenomen door de IJM 99."
Uit de rapporten is op te maken dat de vlet de volgende ochtend om 03.30 uur al weer door het dijkgat was en in de loop van de dag 54 personen aan boord van de 'Spiering' bracht. De geredden werden in de vluchthaven Zijpe aan een binnenschip overgegeven. Het journaal over de laatste diensten: "Inmiddels werd het weer te slecht om nog iets over het avondtij te ondernemen. Verdere diensten bleken niet meer nodig. Terug te Hoek van Holland op 6 februari, 18.00 uur."

Uit de archiefstukken is op te maken, dat de 'Spiering' terugkeerde, maar dat de vlet nog enige tijd in het noodgebied bleef. Dat herinnert zich ook mevrouw Bezuijen-Aalbregtse: "Mijn man heeft er nooit zoveel over gesproken, ook niet over zijn tijd op de reddingboot. Daar spraken ze eigenlijk nooit over.

Maar van tijd tot tijd kwam er wel eens een verhaal aan de orde. Hij heeft wel verteld dat bij het gat bij Ouwerkerk marineschepen lagen om de geredden van hen over te nemen, maar dat die hun sloepen gewoon aan boord hadden. Daar had hij zich vreselijk aan geërgerd. 'Daar verderop zijn mensen in nood', heeft hij gezegd. Ze hadden geen orders, was het antwoord.
De mensen zaten op daken en zolders en er was een oude vrouw bij die vreselijk bang was dat ze misschien in een vliegtuig moest. 'Nie in een vliegtuug, nie in een vliegtuug', riep ze steeds.
Een ander verhaal was dat ze een grote kist overgenomen hadden, die bij het sturen steeds in de weg stond. En mijn man maar prakkiseren: 'Waar hebben we dat ding eigenlijk aan boord gekregen?' Opeens schoot het hem te binnen en herinnerde hij zich ook op welk schip hij de eigenaar afgezet had. Dus zij bij dat schip langszij en die man opgetrommeld. Mijn man herinnerde zich zijn gezicht nog. Nou, die man was zo vreselijk gelukkig, want hij bleek al zijn spaarcenten in die kist te hebben.
Na een week kwamen zij uit het rampgebied terug. Ze moeten het er erg zwaar hebben gehad, dag en nacht in de weer. Mijn man was gewoon uitgemergeld, hij zag er vreselijk uit."

Over de inzet van Bezuijen is in een rapport het volgende neergelegd: "Matroos Siem Bezuijen van de 'President Jan Lels' trok met het afhaalvaartuig van het Loodswezen 'Spiering' naar Schouwen-Duiveland. Ze sleepten de kleine motorvlet van Hoek van Holland mee en wisten in enkele dagen 84 mensen van zolders en daken in de Duivelandse polders van een wisse dood te redden."

Waddenschepen

Zeer welkome hulp was ook uit het uiterste Noordoosten van het land. Het waren de barkassen 'Ameland' en 'Borndiep' van de rijksveerdienst te Oostmahorn, die hun arbeidsterrein op de oostelijke Waddenzee hadden. De dienst werd geëxploiteerd door Wagenborg passagiersdiensten. Na het bekend worden van de ramp hadden de noordelingen er geen gras over laten groeien. Beide schepen vertrokken al op zondag, de eerste rampdag, van Oostmahorn, 'bestemming noodgebied', aldus het rapport van de kapiteins.
Fungerend Commandant Maritieme Middelen Van Waning bracht zijn waardering voor deze efficiënte actie naderhand als volgt onder woorden :
"Door het wel zeer te loven initiatief van de directie waren deze schepen reeds in het rampgebied bij Duiveland, waardoor zij een actief aandeel hadden in de evacuatie van Ouwerkerk, Nieuwerkerk en Oosterland. Tezamen redden zij over de 500 mensen, hierbij niet aarzelend zelfs door de ondergelopen straten der

ondergelopen dorpen te varen. Bleven tot de tweede springvloed te Zierikzee en verrichtten daar nuttig werk bij evacuatie Schouwen en Duiveland. Opvallend waren de uitmuntende zeemanschap en de voortdurende bereidheid der gezagvoerders."

De rapportages van de kapiteins getuigen van enige onderkoeldheid en kennelijk waren de aantekeningen van hun eerste acties op maandag er bij in geschoten:
"Aankomst Dinsdag 3 Februari voor gat van Ouwerkerk, plm. 14.00 uur. Dit gat ingevaren, richting Nieuwerkerk. Als binnenloods Ds. Kurm. Daar er hier geen personen meer voor de nacht wilden evacueren, voeren wij met plus minus 70 personen naar Zierikzee, afgeleverd aan de veerboot 'Oosterschelde', welke dienst deed als hospitaalschip, hieronder drie patiënten die naar het ziekenhuis werden vervoerd.
4 Februari. Rode Kruissoldaten gevaren naar Nieuwerkerk, daar ongeveer 150 personen ingeladen, voorzien van warme melk en koffie. De 'Borndiep' is gesleept door de 'Ameland'. Leverden de gedupeerden af aan de coaster 'Faudacea', met plm. 10 personen doorgevaren naar Zierikzee, hieronder 5 patiënten op brancards. Afgeleverd, per ambulance naar Zierikzee."
De beide barkassen werden lange tijd door de autoriteiten in het rampgebied vastgehouden. Ze waren met hun diepgang van zo'n zestig centimeter en een accommodatie van circa zeventig personen dan ook uitermate geschikt voor dit ongebruikelijke karwei. Ze verrichtten diverse evacuaties en de 'Borndiep' werd

De botenloods van reddingstation Cadzand.

later nog aangewezen als reddingschip voor de polders van Duiveland. Binnen die opdracht worstelde het schip zich ook 's nachts enige keren door de moeilijk passeerbare stroomgaten in de dijk om vermiste personen op te sporen of te redden.

Reddingvlet 'Zeeuwsch-Vlaanderen'

Op het meest zuidelijke Nederlandse reddingstation Cadzand heerste de terechte gedachte dat de reddingvlet 'Zeeuwsch-Vlaanderen' een welkome aanwinst bij de hulpverlening kon zijn. Schipper G.J. Beun, machinist De Zeeuw, stuurman De Lijser en de opstappers P. Faas, J. de Lijser en P. v.d. Lijke staken de hoofden bij elkaar en besloten te gaan varen. Omdat stuurman P. de Lijser, van beroep sluiswachter, niet op zijn werk gemist kon worden, werd zijn plaats ingenomen door zijn 26-jarige zoon Jan de Lijser. Deze was weliswaar geen vast bemanningslid, maar kende de vlet op zijn duimpje.
De heer De Lijser: "Als jonge jongens waren we altijd bij het water te vinden en er was niets mooiers dan mee te helpen als de boot na een actie weer de botenloods in moest. De reddingvlet werd via een helling te water gebracht en na terugkomst moest ie met een lier weer bij de helling opgetrokken worden en het boothuis in. Wij vonden het prachtig om aan die lier te draaien. We mochten ook wel es even meevaren. En mijn vader was stuurman, dus de boot was mij niet vreemd.
Na de ramp hebben we de boot geproviandeerd en hebben we reservebrandstof aan boord genomen. 's Middags zijn we naar Vlissingen vertrokken en van daar naar Veere. Daar kregen we ook wat meer informatie over de toestand in het rampgebied en over de locaties van de stroomgaten.
De volgende ochtend zijn we al heel vroeg naar het gat bij Ouwerkerk gevaren, omdat daar mensen in nood zaten. Het was nog donker. Voor dat stroomgat lagen een paar coasters die hun schijnwerpers bij hadden staan. Die stonden naar boven gericht en hierdoor kon je op het water wat onderscheiden. Op die schepen hielden ze in de gaten wat er door het stroomgat kwam en of ze wat op konden pikken."

De 'Zeeuwsch-Vlaanderen' ging het stroomgat in en de vier mannen werden daarna geconfronteerd met uitzonderlijke omstandigheden. Eenmaal binnendijks werd de voortgang ernstig belemmerd door hekken, heggen en afrasteringen, maar de bemanning vond uiteindelijk een vrije route via de in aanbouw zijnde weg van Wester- naar Oosterland.
De heer De Lijser: "Het was wel even schrikken toen we zagen wat er aan de hand was. Je zag Ouwerkerk en Nieuwerkerk met al die ingestorte huizen. Een ding vergeet ik nooit meer. Op een gegeven moment dreef er een kippenhok voorbij en daar zaten nog een aantal kippen bovenop. Raar eigenlijk, dat juist dat beeld

me altijd zo bij gebleven is, terwijl we zoveel ellende meemaakten."
Het rapport van schipper Beun luidde: "Uit het gemeentehuis hebben we zes personen overgenomen. Tot mijn spijt kon ik niet meer mensen meenemen daar het water inmiddels te ver was gezakt en ik geen kans zag met meer mensen aan boord buitengaats te komen. Daar er een erg hoge zee stond en er verder oude mensen bij waren was dit geen eenvoudig karwei." De reddingmaatschappij voegde later met potlood aan dit rapport toe: "een verlamde vrouw van 100 kg!"

Reddingvlet 'Zeeuwsch-Vlaanderen' met bemanning van1955. Vlnr: Daan Plog, Piet Verhage, Ko la Gasse, Jan de Lijdser, Izak Luiteijn.

De heer De Lijser: "Wat een ellende was het. We hadden een meisje van een jaar of dertien aan boord en ze wou steeds overboord springen. Haar vader en moeder, broertjes en zusjes waren verdronken, ze was vreselijk overstuur. Ze werd door de andere mensen onder de hoede genomen. Och, we hoorden zoveel van die verhalen. We hadden ook een oude vrouw aan boord van een jaar of tachtig. Ze woog rond de 100 kilo en was half verlamd. Triest, triest.
Toen we de mensen aan boord hadden, moesten we snel terug, omdat het inmiddels eb was geworden en het water weer begon te vallen. Bij het stroomgat stond nu een verschrikkelijk verval van water. Bij nader inzien was het misschien beter geweest om te ankeren en ons op de ankerlijn door het gat te laten zakken, maar de schipper zette de boot er rechtstreeks in. We raakten een harde veenkluit met boomstronken erin. We sloegen dwars en de boot ging op z'n kant, maar gelukkig schoot het water er onderdoor en kwamen we weer vrij.
Aan de buitenkant van dat gat had je een groot wiel, dus een diep gedeelte. Verder konden we niet, want rondom was al te weinig water. Daar zijn we toen geankerd en hebben we een behoorlijke tijd voor anker gelegen. Gelukkig hadden we wat jenever bij ons en we hebben iedereen een beetje jenever laten proeven. Ondertussen kwam er ook nog zo'n snelle boot van de marine door het gat. Die raakte de grond en ging ondersteboven. We konden nog net zien dat een coaster een sloep streek en die jongens kwam oppikken.
Een paar uur later konden wij weer verder en zijn we naar een van de kustvaarders gekoerst om onze mensen over te geven. Het was ondertussen behoorlijk gaan waaien, zo'n stuk of 7, 8 zou ik zeggen. Het was niet gemakkelijk om die mensen over te zetten, want die kuster kon niet bijdraaien en lij geven. Boven trokken ze

Evacuaties vroegen veel mankracht.

de mensen naar boven. En ja, ook die oude vrouw. Dat was niet plezierig. Van de coasters hoorden we dat van de andere kant, vanuit Bruinisse kleine boten en vissersboten werden ingezet. Inmiddels kwamen er ook militaire vaartuigjes om de mensen van afgelegen plaatsen op te halen."

Schipper Beun vervolgde zijn rapport met: "Vlet voer vervolgens naar Zierikzee, veel buiswater, steeds toenemende wind. Motor had uitstekend gelopen en vlet bleek goed dicht te zijn. Enkel hadden wij pech met de keerkoppeling daar deze niet op achteruit was te krijgen. Aankomst te Zierikzee onder leiding van schipper Bout die mij uitstekend had bijgestaan."
De heer De Lijser: "We hebben de boot uit jerrycans bijgebunkerd en er moet toen vuil in de tank zijn gekomen, want vanaf dat moment hadden we steeds de carburateur verstopt. Dat was geen doen, je moest steeds de boel uit elkaar halen. Zo konden we niets meer doen en we hebben ons teruggetrokken."
De volgende dag ging de vlet weer huis toe. Op de laatste etappe van Vlissingen naar Cadzand kreeg de vlet te maken met een hoge zee en wind uit noordwest. Toen de motor begon over te slaan en onregelmatig ging lopen, werd koers naar Breskens gezet. In het zicht van de haven sloeg de motor echter af en moest het anker ervoor. De vlet bleek niet onopgemerkt gebleven, want even later zagen

de mannen hun collega's van de reddingboot 'President J.V. Wierdsma' naderen. De vlet zag echter kans op eigen kracht Breskens binnen te lopen. Daar vandaan reisden de mannen over land naar hun woonplaats Cadzand, de vlet werd een paar dagen later gehaald.
"De ervaring op deze tocht opgedaan is, dat ik en zeer zeewaardige vlet heb waar ik een groot vertrouwen in heb", schreef schipper Beun in zijn eindrapport.

Binnenschepen en punters

Het aanbod aan schepen was ondertussen groot. Vanaf de tweede en derde dag kwamen van heinde en ver schepen en boten aanvaren met mensen die iets wilden doen. Er ontstond al spoedig een overcompleet van goedwillende, maar vaak ongeoefende mensen die de organisatie eerder belastten dan ontlastten.
Veel beter inzetbaar waren de hulptroepen in georganiseerd verband, die zich over land of over het water meldden. Binnen deze groepen bestonden of ontstonden bevelsstructuren die een efficiënte inzet mogelijk maakte. Dit was het geval bij de Urkers, die zich onder het gezag van Hessel Snoek voegden, en ook bij een aanzienlijke vloot binnenschepen, die onder het gezag van schipper Johannes Speksnijder van het motorschip 'Atalanta' functioneerde. Speksnijder had op de tweede rampdag een vloot van achttien schepen samengesteld en was daarmee – met als passagier de heer Van Waning aan boord - via Rotterdam in Zierikzee gearriveerd. Hier stelde hij zich onder de centrale leiding van de Commandant Maritieme Middelen.
Deze vloot binnenschepen bracht drie militaire medische ploegen mee, bestaande uit totaal 25 mannen en vrouwen en daarnaast 1500 broden, 50 dekens, 25 stormlampen, zaklantaarns en andere behoeften die door het Rode Kruis in Rotterdam beschikbaar waren gesteld. De konvooileider 'Atalanta' was bij de Onderzeedienst in Rotterdam tevens voorzien van een radiozender en een telegrafist. Johannes Speksnijder blonk uit in leiderschap en genoot het onbeperkte vertrouwen van zowel zijn collega's als van zijn tijdelijke superieuren.

Boten en schepen waren in deze eerste rampdagen van groot belang, maar er bleken te veel te zijn van de verkeerde soort en te weinig van de juiste soort. Met name bestond er een grote vraag naar vaartuigen met een geringe diepgang. Roeiboten vooral, liefst bemand met mensen die konden roeien. Hierin voorzag ondermeer de directie van de school van het Koninklijk Onderwijsfonds voor de Scheepvaart in Rotterdam, die een stuurman, een bootsman en zeventien leerlingen per binnenschip naar het rampgebied liet vertrekken.

Een groot contingent van zeer welkome helpers en boten kwam uit een zeer

onverwachte hoek: punters uit Overijssel. De komst van deze circa tachtig helpers betekende een aanwas van boten met weinig diepgang, bemand met kundig personeel. De boten werden per schip aangevoerd, samen met een dertig man marinepersoneel, vier wegenwachters van de A.N.W.B en een burgermonteur. Deze technici zouden de komende dagen onschatbare diensten verlenen bij het aan de praat houden van motoren. Vier boten dienden voor politiepatrouilles en nog eens vier voor de berging en identificatie van slachtoffers.
De punteractie bleek zeer doelmatig. In de eerste plaats door de geoefendheid van de hulptroepen en in de tweede plaats door de interne organisatie. De hele ploeg was verdeeld in groepen, die geleid werden mensen uit de eigen rijen.
Met de punters waren er ook platboomde schuiten aangevoerd, die in Overijssel voor goederenvervoer over het water werden gebruikt. Een aantal werd continu in de Dreischorpolder ingezet voor het evacueren van vee. In de evaluatie zou over de werkzaamheden van de punters worden vermeld:
"Behalve door het dikwijls woelige water werd het werken bemoeilijkt door de aanhoudende koude, waarop vooral de landbouwers onvoldoende gekleed waren. Hierin werd door de Marine, voor zover mogelijk, voorzien door het lenen van waakjassen en dergelijke."

Na een week kreeg de organisatie en communicatie in de rampgebieden - mede door de aanwezigheid en de groeiende invloed van leger, marine en luchtmacht - structuur. Het betekende dat het gros van de Urker vissers, die de communicatiering rond het eiland Schouwen-Duiveland vormden, toestemming kreeg om de vrijwillig opgenomen taken te beëindigen en het dagelijks werk weer op te vatten. Kortom: ze werden bedankt. Een aantal groepen hulpverleners bleef op verzoek achter, evenals enige particuliere vaartuigen, waaronder vijf Urker kotters, die Schouwen-Duiveland als communicatievaartuig annex reddingschip bleven dekken.

De toenemende beheersbaarheid van de situatie betekende een toename van activiteiten voor grotere schepen, waaronder ook de grote reddingboten. Het aanvankelijke werk in de ondiepe polders verplaatste zich nu naar diep water, voor groepsevacuaties, bevoorrading en het overzetten van personeel en materialen naar de dijkgaten.
De 'Blankenheym', die vanaf 4 februari weer op haar station Veere lag, werd ook voor dit werk ingedeeld. Op 5 februari werden levensmiddelen en kleren geladen voor het Rode Kruis in Haamstede, terwijl 's middags een 'dure' klus werd uitgevoerd. Op verzoek van Rijkswaterstaat werden twee aannemers en twee heren van de Nederlandsche bank met 89.000 gulden van Zierikzee naar Veere gebracht. Op 6 februari werd bericht ontvangen dat oud-schipper Streefkerk, die weer in

Hulpschepen in Zierikzee.

dienst was gekomen om de reddingboot 'Ida de Raath' te varen, met motorpech bij het Katse Veer lag.
De 'Blankenheym' bracht haar collega binnen en werd vervolgens ingedeeld om met inspecteurs te varen. Op 8 februari was de boot de hele dag in touw voor medewerkers van Rijkswaterstaat en voor missies op verzoek van het Rode Kruis. Deze dag werd om 21.00 uur in Veere afgesloten. "Waren allemaal spoedgevallen", schreef de schipper.
Van rust kwam er die nacht overigens weinig terecht, want om één uur 's nachts gingen de trossen al weer los om vijftig arbeiders van Kamperland te halen. Een volgende opdracht was "varen met heren van het Rode Kruis, waaronder twee 'Noorsche officieren". De volgende dag werden levensmiddelen vervoerd er werden vijftig 50 evacués van Burghsluis naar Rode Kruisschip 'Willem I' op de rede overgebracht. In de volgende dagen was de reddingboot "samen met motor-

boot 'Spartaan' van de Lloyd in Rotterdam" behulpzaam bij de evacuatie van Burghsluis. "Elk 5 x gevaren naar Rode Kruisschip 'Willem I'. Samen 130 personen overgezet", schreef schipper Minneboo in het journaal. De reddingboot zou op deze manier tot en met 17 februari het water dun varen.

De 'Dorus Rijkers' in het nieuws

Voor de reddingboot 'Dorus Rijkers', die tijdens de eerste rampdagen van Harlingen vertrokken was, lagen na aankomst direct enige taken te wachten. Ze werd doorgezonden naar Hellevoetsluis en arriveerde via Oude Tonge uiteindelijk in Zierikzee, waar schipper Toxopeus zich bij de kapitein ter zee b.d. C.J.W. van Waning meldde.
De reddingboot blonk uit in veelzijdigheid en daarnaast haalde het schip ongewild de landelijke pers. De na enige dagen langzaam stabiliserende omstandigheden brachten bij de ruimschoots aanwezige pers een hunkering naar nieuwe nieuwsfeiten teweeg. Ieder voorval werd daardoor al gauw tot een landelijk nieuwsfeit gebombardeerd. Onder de kop '"Dorus Rijkers' zit op strekdam bij Zierikzee" meldden de landelijke bladen op 6 februari:
"Volgens een bericht van Scheveningen Radio is de reddingboot 'Dorus Rijkers', die deelneemt aan het reddingwerk in Zeeland, op de strekdam bij Zierikzee gelopen. Het vaartuig zit 300 meter ver op de strekdam. Een motorboot van het kabelschip 'Poolster' heeft getracht de reddingboot uit zijn benarde positie te bevrijden. Dit is niet gelukt ten gevolge van de sterke ebstroom. Er is thans om sleepboothulp gevraagd."

Er was in werkelijkheid niet meer aan de hand dan een bedrijfsfoutje. Wegens de felle dwarsstroom ter plekke was het moeilijk de passage voor de haven te nemen. In het donker verkeek Mees Toxopeus zich kennelijk op de situatie en raakte op de strekdam. Hij wilde er uiteraard zo snel mogelijk weer af en seinde naar een nabijliggend marinevaartuig om hulp. Daar was een vergadering gaande van de leidinggevenden van de reddingsoperaties. De commandant liet uitzoeken wie daar om hulp seinde. "Het bericht dat het de reddingboot 'Dorus Rijkers' was, bracht hilariteit teweeg", lezen we in het verslag van kolonel Van Waning. Omdat hij kennelijk nog mogelijkheden zag los te komen, riep Toxopeus over de radiotelefonie een sleepboot op. Scheveningen Radio ontving dit bericht - maar ook ieder ander, die een ontvanger had - en zo kwam 'de benarde situatie' in de pers. De 'Dorus Rijkers' kwam over de volgende vloed overigens op eigen gelegenheid weer vlot en de volgende dagen was de reddingboot weer bij de les.
Op 9 februari kwam de reddingboot weer even in haar eigen stiel, toen ze dertien Finse schipbreukelingen van de gestrande 'Bore VI' van Burghsluis naar Zierik-

Een dijkdoorbraak in het Havenkanaal van Zierikzee leverde de hulpschepen veel moeilijkheden op.

zee overbracht. Daarna werd deelgenomen aan een zoektocht naar een vermiste Amerikaanse landingsboot. Een dag later diende zich weer een zoektocht aan, nu voor een boot met werkvolk. De volgende dagen was de reddingboot voor diverse opdrachten in de weer, zoals zoektochten, verbindingsdiensten en inspectietochten. Op 16 februari werden 31 personen, waaronder baby's en bejaarden van Burghsluis gehaald en naar het evacuatieschip 'Schelde' te Zierikzee overgebracht. Het was de laatste dienst in de Zeeuwse en Zuid-Hollandse wateren.

Druk van de ketel

De eerste dagen was er sprake geweest van reddingen van mensen die zich in direct levensgevaar bevonden. Na verloop van tijd maakten deze reddingsacties plaats voor evacuaties. Tal van mensen bevonden zich namelijk in situaties die niet direct levensbedreigend waren, maar wel zo ernstig dat ze om een onmid-

In het ondergelopen gebied wordt een nooddijk opgeworpen.

dellijke oplossing vroegen: zieken, invaliden en bejaarden. Ook de vele honderden stuks vee, die in leven waren gebleven, moesten naar andere oorden. Daarnaast was er de berging van slachtoffers en de ruiming van complete veestapels dood vee, huisdieren en wild. Ook werden op last van de autoriteiten hele dorpen geëvacueerd, omdat er van een normaal sociaal leven met de bijbehorende behoeften en voorzieningen geen sprake meer kon zijn.
De evacuaties werden ook doorgezet tegen het licht van het tweede springtij van de maand, dat zich op 16 februari zou aandienen. Die zou via de dijkgaten tot extra hoge vloeden in de polders kunnen leiden, terwijl een bijkomende harde wind weer tot rampzalige situaties zou kunnen leiden.
De evacuaties in de tweede week vonden nog steeds onder slechte weersomstandigheden plaats. Op maandag 9 februari stond er een matige zuidwesten wind met sneeuwbuien, terwijl er gewaarschuwd werd voor harde wind. Die diende zich pas op dinsdag 10 februari uit het zuidwesten aan. Het was en bleef koud. Op woensdag zorgde een matige tot harde noordenwind met kou en regenbuien voor oponthoud in de evacuaties.

Na de hectische en enerverende eerste week, werd de toestand in de tweede week aanmerkelijk overzichtelijker en raakte de hoogste druk enigszins van de ketel. De hulpverleners kregen zelfs tijd om weer even aan privé-zaken te denken.
Dat gold ondermeer voor visser Hessel Snoek, die zich realiseerde dat het de komende woensdag biddag op Urk zou zijn: de jaarlijkse biddag voor de visserij. Hij en enige collega's wilden dan graag op Urk zijn. De situatie overziend, meende hij dat dat ook wel zou moeten kunnen; de luitenant Dekker bleef immers aan boord van de UK 141 om het radioverkeer te behartigen, evenals zoon Jacob Snoek.
Dinsdagmorgen toog Snoek naar kapitein ter zee Van Waning om hem te vertellen wat de plannen waren. "Donderdag komen we weer terug." De kolonel ging zonder omwegen akkoord en regelde tegelijkertijd de logistiek om de vissers thuis te brengen. En zo scheepten de vissers H. Snoek van de UK 141, K. Kramer van de UK 31 en L. Hoefnagel van de UK 41 zich in op de mijnenveger Hr. Ms. 'Vlieter', die de mannen naar Dordrecht bracht.
Jacob Snoek: "Daar hebben ze wel van genoten, geloof ik. Ze waren natuurlijk niet van de brug weg te slaan. Alles kon in die dagen, het stak allemaal niet zo nauw. Die mijnenveger liep nogal wat vaart en trok een hekgolf van heb ik jou daar. Vader maakte de commandant daar een beetje voorzichtig op attent. "Straks heb je de politie achter je aan". "De politie, dat zijn we zelf", zei de commandant een beetje lachend.
In Dordrecht stond een legerauto van de pontonniers met chauffeur klaar voor de reis naar Urk, waar de schippers 's avonds arriveerden. Volgens afspraak keerden ze donderdags terug om hun taken weer op te nemen.

Tijdens de woensdag van hun afwezigheid had Zierikzee bezoek gehad van Koningin Juliana. De vorstin zou volgens plan per 'Christiaan Brunings' van Rijkswaterstaat arriveren, begeleid door een marine-escorte bestaande uit een Brits en een Belgisch marinevaartuig en twee Nederlandse mijnenvegers. Het zal de Koningin, die haar bezoek zo onofficieel mogelijk wilde laten zijn, niet hebben gespeten dat dit vertoon wegens de lage waterstand moest komen te vervallen. In het stadhuis van Zierikzee werd de Koningin aan diverse mensen voorgesteld, waaronder vertegenwoordigers van de groepen redders.
Jacob Snoek: "Vader was die woensdag naar Urk en juist op die dag kwam de Koningin. Er was een ontvangst in het gemeentehuis en meneer Van Waning kwam nog even bij ons aan boord en vond dat ik daar in de plaats van mijn vader heen moest. Luitenant Dekker vond dat ook. Ik had nog een nieuwe overal liggen en die heb ik aangedaan. Op het stadhuis gaf de koningin mij een hand en sprak een paar woorden met me. Ze hadden haar natuurlijk verteld wie ik was. Ik was blij toen het allemaal achter de rug was en dat ik weer naar boord kon."

Helpers bedankt

In de tweede week konden grote groepen hulpverleners naar huis terugkeren. Een beperkt aantal particuliere schepen bleef op verzoek van de autoriteiten bij de eilanden achter. Op 16 februari zou het namelijk weer springvloed zijn en men wilde de schepen achter de hand houden om ze bij calamiteiten als reddingschip te kunnen laten fungeren. In tegenstelling tot zestien dagen eerder liet het weer zich deze dagen echter van een zeer innemende kant zien.
Er was sprake van een zwakke wind uit noordoost, later krimpend naar west. Goed weer. De getijdenbewegingen bleven beneden normaal, waardoor de gevreesde springtijdag en -nacht goed verliep.
Het gevaar was nu geweken. Op 16 februari om 16.00 uur kwam de viskotter, annex zendstation 'Jacob' voor de laatste keer met een bericht voor alle posten, uitgesproken door de luitenant 2e klasse H.W. Dekker, namens de Commandant Maritieme Middelen te Zierikzee. Het bericht luidde:

"De goede verwachtingen, welke De Bilt K.N.M.I. heeft van de weersomstandigheden in de komende 24 uur maken het mij mogelijk het risico te aanvaarden de ring van communicatieschepen in de havens van Schouwen en Duiveland op te heffen. U kunt dus de havens verlaten en Uw normale werkzaamheden hervatten. Namens de bevolking van dit eiland vooral dank ik U van ganser harte voor uw uitmuntend hulpbetoon door u in het bijzonder bewezen in de afgelopen veertien dagen.
U bent spontaan gekomen, toen de storm nog loeide en de dijken van het eiland doorbraken. U hebt met grote persoonlijke risico's in uw kleine boten veel mensenlevens gered. U bent op uw post gebleven, toen het eerste gevaar schijnbaar over was, teneinde te dienen als gereedstaande reddingboot, tevens radio-communicatieschip. U hebt hierdoor het moreel van de bevolking gesterkt. God zegene u allen. Kapitein ter zee C.J.W. van Waning."
In de andere noodgebieden werd overeenkomstig gehandeld. De Chef Generale Staf maakte bekend: "De bijstand in algemene zin is beëindigd. Met voldoening stel ik vast dat de landmacht paraat is gebleken. Allen, zowel de beroeps-, reserve-, als dienstplichtige militairen hebben zich ten volle ingezet."

Ook de taak van de 'Dorus Rijkers' zat erop en de reddingboot keerde op 20 februari in Harlingen terug. De reddingboten 'C.A.A. Dudok de Wit' en 'Prins Bernhard' waren haar al voorgegaan. Uit bewaard gebleven correspondentie blijkt, dat de bemanning zich bij de hulpverlening niet tot het eigen schip beperkt had, maar ook een leidende rol had gehad bij het organiseren en begeleiden van de vaak onbevaren reddingtroepen.

Kapitein ter zee Van Waning schreef over de ondersteunende rol van de reddingboot: “Vooral omdat zovele hier minder bekende schepen van dikwijls geringe afmetingen in deze omgeving werkten, was de aanwezigheid van een onder alle omstandigheden zeewaardige reddingboot onder ervaren leiding voor mij een geruststelling.”
Enige hulpkrachten waren om diverse redenen tussentijds naar huis teruggekeerd, maar als groep werden ook de tachtig helpers uit Giethoorn, Wanneperveen, Oldemarkt, Ossenzijl, Kallenberg, Wetering en Steenwijk op 17 februari van hun taak ontheven. “Het werken op de diep ondergelopen polders van dit eiland was uiteraard heel iets anders dan het varen in de vaarten en plassen van Overijssel”, aldus Van Waning.

DE NOORDZEE

De publieke aandacht was zo algemeen gericht en zelfs gefixeerd op de rampzalige gebeurtenissen in het zuidwesten van ons land, dat maar weinigen zich realiseerden dat dezelfde orkaan ook over de Noordzee was getrokken en ook daar slachtoffers had geëist. We gaan terug naar die gedenkwaardige zondag 1 februari.
De drie grote noordelijke boten 'Prins Hendrik', 'Brandaris' en 'Insulinde' waren na de barbaarse orkaannacht zondagsmiddags weliswaar behouden op hun station teruggekeerd, maar voor alle drie gold dat het zogeheten vergeefse tochten waren geweest. Er waren geen mensen gered, de vermiste 'Oder' was niet gevonden en over het lot van de zes opvarenden was niets bekend.
De bemanningen van de reddingboten waren bekaf. De vele uren op zee, in een vliegende storm en vaak meer onder dan boven water hadden voor de mannen aan dek en in de afgesloten machinekamers even zovele uren van opperste krachtsinspanning betekend; topsport in oliegoed, zogezegd, zonder pauze.
Een merkwaardig toeval is, dat er bij hun binnenkomst voor al deze drie boten eigenlijk al een vervolgreis in het verschiet lag. Voor de 'Prins Hendrik' en de 'Brandaris' was dat een door de kustwacht verkend schip in de Eierlandse Gronden en voor de 'Insulinde' een schip dat bij boei JE 3 om hulp riep.
De 'Insulinde' had dit bericht niet ontvangen, omdat de antenne bij de bijnakentering in de branding onklaar was geraakt. Dat bleek bij nader inzien maar goed ook. Toen de plaatselijk vertegenwoordiger de bemanning met de sloep van boord haalde, vertelde hij hun dit nieuws. Hij was echter niet gerust op de melding en stelde voor om eerst nog eens nadere informatie in te winnen. Zijn voorgevoel bleek juist. Bij navraag bleek dat het schip, de 'Industria', een verkeerde positie opgegeven had en zich in werkelijkheid ter hoogte van Hoek van Holland bevond.

Reddingboot 'Borkum'

Het reddingstation Borkum had hetzelfde noodsein ook ontvangen en de eilanders reageerden zoals de 'Insulinde' bij ontvangst van het bericht ongetwijfeld ook gedaan zou hebben: ze ging eropaf. Het zou een gedenkwaardige reis voor de Borkumers worden. Een publicatie van de Duitse reddingmaatschappij over deze reis, getiteld 'Toen de Nederlandse dijken doorbraken', luidt vertaald: "Na de vreselijke stormnacht, waarin een enorme springvloed de dijken in Nederland en aan de Engelse oostkust deed bezwijken, waardoor meer dan ruim duizend mensen de dood in de golven vonden, vertrok onze reddingboot 'Borkum' na een

De reddingboot 'Borkum' maakte een zware tocht.

ontvangen SOS-sein. De buitengewoon moeilijke tocht van de boot mondde uit in een vergeefse tocht en staat hier als voorbeeld voor al die andere, soortgelijke acties, die niet in statistieken of krantenrecensies worden genoemd, maar wel dezelfde onvoorwaardelijke inzet vraagt als bij succesvolle tochten.

Kapitein Eilers, schipper van de reddingboot 'Borkum' berichtte: "Op zondag de 1e februari 1953, om 12.25 uur, kreeg ik van de kustwacht Borkum bericht dat in positie 2 zeemijlen noordelijk van boei JE 3 het Duitse schip 'Industria' SOS gaf. Direct daarop kwam van het kuststation Norddeich Radio dezelfde melding binnen. Na het waarschuwen van de opstappers verliet de 'Borkum' met zes man bemanning de Borkumer haven en zette koers naar de opgegeven positie.
Er waaide een NNO-wind, kracht 5-6, de lucht was bedekt met nu en dan regenbuien. Het uitlopen door de Westereems werd versneld door de sterke ebstroom. In de monding van de Westereems nam de zee door de omstandigheid van wind tegen stroom echter dusdanig toe, dat het zeer veel moeite kostte om het zeegat uit te komen.

Nadat we open water hadden bereikt, konden we door de nu wat langere zeegang onze gebruikelijke vaart lopen. Tegen 15.30 uur verkenden we een vaartuig dat, toen we dichterbij kwamen, echter de loodsboot 'Emden' bleek te zijn, die zich daar bij boei JE 3 gaande hield.
We ontvingen op ditzelfde moment een radiobericht van Norddeich Radio, waarin werd meegedeeld dat de opgegeven positie van het in nood verkerende schip niet JE 3 luidde, maar IM 3, dat wil zeggen: tussen IJmuiden en Hoek van Holland. Door deze foutieve opgave zat onze taak erop en wendden we de steven om naar Borkum terug te keren.
Wind en zee waren ondertussen in kracht en hoogte toegenomen. Het waaide nu kracht 8 tot 9 uit NNO en de regenbuien waren in sneeuwbuien overgegaan. Wegens de buitengewoon hoge zee en de zware slingeringen van de boot was het onmogelijk de Westereems binnen te lopen. Bovendien werd het zicht ernstig belemmerd door de hoge zeeën. Ik verzocht de loodsboot daarom om ons tot voor het Huibertgat voor te stomen.
De loodsboot 'Emden' stoomde ons voor tot boei JE 1. Wegens de steeds hoger wordende zeeën kon hij ons echter niet verder voorstomen, omdat zijn sloepen gevaar liepen kapot geslagen te worden. Wij zetten onze reis daarom zelfstandig voort om te proberen nog voor het invallen van de duisternis door het vaarwater van het Huibertgat te komen. Bij het passeren van de verkenningston en later de wraklichtboei waren de zee en de branding dusdanig in hoogte en kracht toegenomen, dat we ons niet meer konden oriënteren.
Door een plotseling oprijzende zee ging onze boot helemaal onder water. Het water drong daarbij de verblijven binnen. Nadat alle schotten opnieuw gekneveld waren, werden door de kracht van volgende brekers nog drie relingstutten afgebroken en de daaraan bevestigde teakhouten latten versplinterd. De bakboordreling stond nu in zigzagvorm aan dek. Verder werden de aangeklonken houders van de reddingboeien als papier uit elkaar gescheurd en werden de nog extra vastgezette boeien kapot gebeukt en overboord geslagen.
We hadden maar één mogelijkheid om uit de branding te komen, en dat was door terug te keren naar open zee. Onder de grootste inspanningen van bemanning en boot lukte dat na ruim een uur. Op open water draaiden wij de hele nacht met de kop op zee in de lange zeeën op. Omdat er nu geen onmiddellijk gevaar meer voor de boot bestond, kon ik me van de schade in

Schipper Eilers (midden) en twee bemanningsleden.

Zeesleper 'Wotan'.

de boot op de hoogte stellen. De aanblik was verschrikkelijk: alle afgesloten laden waren uit de sloten gescheurd en alles lag her en der kapotgeslagen op de grond, samen met kapot kommaliewant, kijkerkisten enz. De ijzeren kooimatrassen waren eruit gevlogen en zaten kris kras klem.
De volgende dag bij dag worden en een tijdelijk afnemende de wind probeerden we opnieuw het Huibertgat binnen te lopen. Intussen was ook de bergingssleper 'Wotan' bij de JE 1 gearriveerd, die eveneens met bestemming Borkum wilde binnenlopen en ons op een afstand van circa een halve zeemijl volgde.
De zeeën hadden nog steeds een onverminderde kracht. Door een dwarszee werd onze boot zo ver op een kant geworpen, dat de toren water schepte. Door de opwaartse kracht van de gesloten opbouw richtte de boot zich echter weer op. Het gevaar van het binnenlopen van dit zeegat en de onmetelijke kracht van de zee kan het best geïllustreerd worden door het feit dat de bergingssleper 'Wotan' zoveel water overkreeg dat ze het plan om binnen te lopen op moest geven, bijdraaide en pas meer dan twaalf uur later weer een poging ondernam.
Na het passeren van boei H 2 verliep het binnenlopen voor ons verder zonder bijzonderheden en tegen elf uur maakten we in de haven vast. De boot had zich bij deze stormreis weer buitengewoon zeewaardig getoond. Aan de hele, permanent doornatte zeskoppige bemanning werden door de heersende kou en door de lange duur van de actie de hoogste eisen gesteld."

De 'Joan Hodshon'

Terwijl de Borkumer reddingboot op zondagmiddag zee koos, keerden de 'Insulinde', 'Brandaris' en 'Prins Hendrik' die zondagmiddag op hun stations terug. De 'Prins Hendrik' liep even na drieën binnen. Men raadde de bemanning, die letterlijk achttien uur achtereen op de benen had gestaan, aan direct te gaan slapen, omdat er misschien al spoedig weer werk aan de winkel kon zijn.
Die klus lag er inmiddels in feite al, maar het late uur van de dag en de noodzaak van daglicht bij dit karwei maakten dat de 'Prins Hendrik' en de 'Brandaris' niet tot actie werden geroepen. Wat was er aan de hand?
Vrijwel op het moment van binnenkomst van de 'Prins Hendrik' meldde kustwachtpost Eierland - op de oostpunt van Texel - dat er in peiling 330° in de Eierlandse Gronden vaag het silhouet van een vaartuig te onderscheiden was. Gelet op de contouren dacht men aan een logger of een kustvaarder.
De melding kwam voor reddingstation Texel op een zeer onwelkom moment. Vele honderden mensen waren in touw om de dijk van de Eendrachtpolder te versterken. Zo'n zeventig van hen waren bij het zwakste punt aan het werk, toen alarm werd geslagen: de dijk was een kilometer zuidelijker doorgebroken en de polder liep vol. De mannen maakten zich ijlings uit de voeten, maar een aantal wist zich niet meer in veiligheid te brengen voor het binnenkolkende water. Vier personen verloren het leven en een aantal mannen werd vermist.
Schipper J. Bakker en de leden van de plaatselijke commissie waren ook in de polder, toen hun verteld werd dat er een vaartuig in de Eierlandse Gronden zat. Ze gingen onmiddellijk naar de vuurtoren om de situatie voor de kust in ogenschouw te nemen. Een sterke olielucht deed vermoeden dat het best eens de tanklichter 'Oder' kon zijn die daar in de gronden zat. Met zekerheid was dat echter niet vast te stellen.
Er moest een boot heen, dat was zeker, maar welke? Een tocht met de motorstrandreddingboot 'Joan Hodshon' werd onder de heersende omstandigheden eigenlijk te riskant geacht. Maar als men de 'Brandaris' of de 'Prins Hendrik' te hulp riep, zouden die niet voor donker ter plekke kunnen zijn. En daglicht was voor deze grote boten een absolute voorwaarde om de geul naar de strandingplaats te kunnen volgen. De enig haalbare mogelijkheid van dit moment moest benut worden; de 'Joan Hodshon' moest erheen!
De boot werd om 17.30 uur gelanceerd. Hoewel de wind wat afgenomen was, waaide het nog 7 tot 8 uit noord ten oosten en liepen er hoge grondzeeën. Een zinsnede uit het reddingrapport luidt: "De 'Joan Hodshon' kweet zich kranig van deze uitzonderlijk moeilijke opgave en wist het wrak tot op circa 700 meter te naderen."
De schipper ondervond bij zijn actie onmisbare steun van een licht op het

De restanten van de 'Oder'.

wrak, dat inmiddels als de 'Oder' herkend was. Na enige tijd verdween dat licht echter. Dat gaf bange voorgevoelens over het lot van de mensen die nog aan boord waren, maar maakte ook een verdere verkenning voor de reddingbootschipper onmogelijk. Schipper Bakker bleef nog anderhalf uur in de gronden op en neer houden in de hoop alsnog een verkenning te krijgen. Maar het licht keerde niet terug.
De boot was inmiddels vier uur in actie en was na haar vertrek door de duisternis opgeslokt. Sindsdien had men aan de wal geen enkel levensteken meer van de boot vernomen. Om 21.15 uur doorkliefden vuurpijlen het zwerk boven de branding. De reddingboot seinde daarmee aan de achterblijvers dat ze naar de wal terugkeerde.
Het was een zogeheten vergeefse tocht, waarover de plaatselijke commissie opmerkte: "Een tocht onder de meest denkbaar slechte weersomstandigheden. Storm uit NtO, hoge grondzeeën en in het donker, in een vaarwater dat reeds bij dag de nodige moeilijkheden oplevert. Een woord van bijzondere waardering voor deze prestatie is hier zeker op zijn plaats."

Bij herhaling 180° uit de koers

De volgende ochtend - het was inmiddels maandag 2 februari - ontving de Commissaris van het Loodswezen in Den Helder om 05.40 uur via kustwacht Huisduinen bericht van kustwacht Eierland dat de 'Joan Hodshon' de vorige avond onverrichterzake was teruggekeerd, maar dat er nu op het wrak weer een licht getoond werd. De kustwacht had het wrak daarop met morseseinen antwoord gegeven. Den Helder deelde aan de kustwacht mee, dat de 'Prins Hendrik' naar zee zou gaan.
Schipper Piet Bot werd door directeur De Booy van de reddingmaatschappij gebeld: "Het was

De sleepboot 'Gulosenfjord'.

maandagmorgen om een uur of vijf, meen ik, dat meneer De Booy aan de lijn kwam. Hij vertelde dat het niet gelukt was met de reddingvlet. Hij vertelde waar het schip zat en dat wij er nu heen moesten."
Om 06.30 uur verliet de 'Prins Hendrik' de haven, passeerde om 07.15 uur de verkenningston Molengat en arriveerde rond 08.30 uur bij de Eierlandse Gronden. Op het wrak was ondertussen al weer gestakeld, waarop de kustwacht geseind had dat er een reddingboot onderweg was. Het weer was ten opzichte van de voorgaande dagen beter geworden. Er was goed zicht, maar er waaide nog steeds een krachtige bries uit noordwest en er stond nog een zware branding voor de gronden.
Het reddingrapport over deze episode van de 'Prins Hendrik' luidt: "Nu werd vanaf de Noord af de geul gezocht, volgens het plan een verkenning zoekende aan het grote en herkenbare wrak in de buitengronden. Het wrak van de 'Oder' was in tweeën gebroken, waardoor het voorschip op de Buitengronden zat en het achterschip op de Vliehors. Ten 08.55 uur kwam de motorreddingboot in de nabijheid van het voorschip waarop volk was gezien. Ten 09.10 uur was de 'Prins Hendrik' goed door de branding gekomen, doch de geweldige zuiging gooide de reddingboot bij herhaling 180° uit de koers."
Oud-schipper Piet Bot: "Ik had ondertussen zitten te broeden hoe ik dit aan ging pakken. Je weet van tij, van stroom en zeegang, dus je kunt al wat mogelijkheden

Na geslaagde actie: Vlnr: Opstapper Piet Kramer, motordrijver Jan Bijl, stuurman Jaap van Veen, schipper Piet Bot.

gaan afstrepen. Daarbij komt dat ik dat gebied goed in het hoofd had. Vroeger met vader al gingen we vaak op verkenning en dat ben ik blijven doen.
Er waren voor mijn gevoel twee mogelijkheden. Ik gaf er de voorkeur aan om door te stomen tot onder de kant van Vlieland. Daar konden we volgens mij over de punt van een ondiepte komen en dan kreeg je dieper water. We hadden natuurlijk nog geen echolood, dus ik wees opstapper Piet Kramer aan – Carrie werd ie genoemd – om met een slagaard uit te steken, want hij was altijd zo vlug als een aap. Als er een dik stuk water aankwam riep ik: 'Achter de pijp!' en dan sprong hij weg. Zo hebben we dat geklaard en toen hij twee vaam had, wist ik dat we erover waren. Toen werd het wat dieper en was ik er weer de baas over. Ik heb toen binnendoor koers naar het wrak gezet. Maar inmiddels begon de eb al weer te lopen, dus er liep een dik stuk tij naar buiten.
Ondertussen wisten we nog steeds niet of er nog mensen op die gebroken tanker zaten. En als ze er nog op zaten, hadden ze het niet best gehad. Eerst met dat rotweer in de gronden verdagen en aan de grond raken. En stoten, natuurlijk, dus daar kreeg dat schip rake klappen. En dan breekt ie ook nog es doormidden.
Maar toen kwam er iemand tevoorschijn en die zwaaide. 'Nou,' zeiden we tegen mekaar, 'er zitten nog mensen op'. Het heeft ons daarna nog heel wat moeite gekost om ze te pakken te krijgen. Er stond een vliegend stuk stroom en we werden soms plotseling een heel end verzet of helemaal rond gegooid. Maar ik heb de boot er een paar keer tegenaan gekregen en uiteindelijk hadden we alle zes aan boord. Toen hetzelfde geultje terug, maar het ging nu in de zee op. Dat ging goed en toen was de zaak gebakken en was het op naar huis."
Het reddingrapport over deze episode: "Verschillende malen moest het langszij komen worden herhaald, doch tenslotte waren om 10.05 uur alle zes opvarenden gered. Vervolgens werd door de geul terug naar open zee gemanoeuvreerd. Om 11.05 uur passeerde de reddingboot verkenningston Molengat en te 12.00 uur werd afgemeerd aan de steiger van de Texelse boot."
De geredden werden na binnenkomst onmiddellijk door de Geneeskundige dienst van de Koninklijke Marine overgenomen. Het enige dat kapitein Hindrichsen en zijn mannen leken te begeren, waren een bed en warme dekens.
Rond deze tijd kwam de sleepboot 'Gulosenfjord' in de lucht, die het radiover-

keer uiteraard had meegeluisterd en nu wilde weten hoe het er voorstond. De kapitein werd meegedeeld dat alle hens behouden aan land was gebracht.
De plaatselijke commissie, afsluitend: "Het wrakgeslagen vaartuig was dus toch de 'Oder', welke gesleept werd door de Duitse sleepboot 'Gulosenfjord' en waarvan de sleepverbinding brak op de platvoetwacht van Zaterdag 31 Januari 1953. Dit is dan de eerste reddingtocht van eenig formaat, en met succes bekroond, van de nieuwe motorreddingboot 'Prins Hendrik'. Er is enige lichte schade aan banken, kommaliewant, lekkende poorten e.d. Voorts is aan stuurboord fender geheel vooraan, de hoeklijn waarin het rubber ligt, iets omhoog gezet; kennelijk heeft de reddingboot daar even 'gehangen'."
Waarschijnlijk bestond bij de buitenwacht verwondering over het feit dat de reddingboten 'Prins Hendrik' en 'Brandaris' niet nog de vorige middag, nadat ze binnengelopen waren, direct naar de Eierlandse Gronden gestuurd waren. Directeur De Booij schreef daarover namelijk in een artikel in een opvallend verklarende betoogtrant het volgende:
"Het was niet verantwoord de 'Brandaris' of 'Prins Hendrik' thans naar de Eierlandse Gronden te zenden. Beide boten waren immers met uitgeputte bemanning teruggekeerd, terwijl de schipper van de 'Brandaris' gewond was. Bovendien zouden ze niet voor donker de Eierlandse Gronden hebben kunnen bereiken; voor het binnenlopen van de nauwe geul tussen de Vliehors en de buitenbanken was daglicht een eerste vereiste."

Huldeblijken

De nieuwe 'Prins Hendrik' had haar kunnen getoond en van ver en na kwamen blijken van dank en waardering binnen. Het 'Seeamt' te Bremerhaven bracht tijdens zijn zitting op 19 februari 1953 zijn waardering voor de bemanning van de reddingboot tot uitdrukking, waarbij, zo stelde men, in de beste tradities ter zee gehandeld was. Eveneens kwam namens H.K.H. Prinses Wilhelmina een huldeblijk binnen. De tekst van de brief luidde:
"Hare Koninklijke Hoogheid heeft mij opgedragen U te berichten, dat Zij een rapport kreeg over de zeer moeilijke redding op 2 Februari jl. van de bemanning van de Duitse tanklichter 'Oder', die op de Vliehors gestrand was tijdens de orkaan

"Wat heb ik fijn gevaren met dat schip, 'Ik heb er van genoten!"

van 29 Januari - 1 Februari.
Het deed Hare Koninklijke Hoogheid goed te horen, dat de reddingboot, naar Haar echtgenoot genoemd, die zoveel gedaan heeft voor het reddingwerk en de reddersbemanningen der reddingboten, zulk kranig werk verrichtte.
Opnieuw bleek, dat de grote waardering die Hare Koninklijke Hoogheid steeds voor de arbeid der reddingboten van onze kust had, ten volle verdiend blijft.
De Particulier Secretaresse van Prinses Wilhelmina, J. Geldens."
De reddingmaatschappij verzuimde op haar beurt niet degenen te bedanken die hun betrokkenheid betoond hadden. Een van die dankbetuigingen ging naar wasserij W.G. Munster in Den Helder: "Namens de Commissie van het Plaatselijk Bestuur der Koninklijke Noord- en Zuid-Hollandsche Reddingmaatschappij is het mij een behoefte u hartelijk te danken voor Uw vriendelijk gebaar om scheepskleding van de motorreddingboot 'Prins Hendrik', gebruikt door de schipbreukelingen van de Duitse zeelichter 'Oder' geheel gratis te wassen."
Oud-schipper Bot herinnert zich met grote waardering een andere dankbetuiging. "Ik heb in mijn hele leven nooit een brief van een geredde gekregen, maar van de mannen van de 'Oder' wel. Ja, dat was wel bijzonder." En lachend: "We hadden de eerste keer dat we naar zee moesten, op die zaterdagavond dus, vreselijk veel haast om naar buiten te komen. Onze boot had in de haven elektriciteit van de wal. Er was een kabel langs paaltjes getrokken en zo kregen we stroom aan boord. 't Was allemaal nog een beetje provisorisch. Wij waren door een vlet van een baggerfirma aan boord gebracht en waren direct in ons oliegoed gedoken. Toen we zeeklaar waren, was het 'lekko'. Op de ree van Den Helder keek ik achterom en ik denk, verrek, wat gebeurt daar nou achter het schip. Bleken we de elektriciteitskabel met de paaltjes eraan achter de kont te hebben hangen. Waren we vergeten los te koppelen. Er viel trouwens niet veel los te koppelen, want die kabel en die paaltjes stonden onder water.
Van alle schepen waar ik mee heb gevaren heb was deze reddingboot mijn absolute favoriet. De 'Prins Hendrik' was een machtig schip, je kon er alles mee. Man, wat heb ik fijn gevaren met dat schip, ik heb er van genoten!"

Een schip dat in de rampnacht en daarna een geheel eigen leven leidde en merkwaardigerwijs nauwelijks het 'grote' nieuws haalde, was het niet geladen Zweedse stoomschip 'Virgo' van 5000 ton, dat - enige uren nadat de 'Prins Hendrik' vruchteloos voor het Eierlandse Gat naar haar gezocht had - op de Vliehors was gelopen.
Toen Piet Bot en zijn mannen het gat binnenliepen voor de finale redding van de zes runners van de 'Oder', zagen ze het schip daar in een baaierd van licht van haar eigen deklampen liggen.
De 'Virgo' had op de 1e februari ook het reddingstation Vlieland in de hoogste

De 'Virgo' werd door Doeksen geborgen.

De 'Virgo' op de Vliehors.

staat van paraatheid gebracht, maar men kon niets doen. De weg buiten het dorp stond over een afstand van enige kilometers onder water. Pas tegen het middaguur konden de Vlielanders met een vrachtauto bij het einde van de duinenrij te komen. De Vliehors stond toen nog geheel onder water, maar voor de opvarenden van de 'Virgo' bestond geen gevaar meer.

Het schip zat hoog op de Vliehors en zou naderhand door het bergingsbedrijf Doeksen van Terschelling geborgen worden. Het was een immens karwei, waarvoor

eerst een dok rond het schip gebouwd werd en ankers uitgezet werden. Vervolgens begon een strijd van de lange adem. Die hield in, dat het schip bij iedere vloed op haar eigen vermogen een eindje in de richting van diep water schoof.
Op zaterdag 22 augustus, een half jaar na haar stranding, dreef het schip weer op haar kiel en werd ze naar Amsterdam gesleept om daar - nu volgens plan - droog te worden gezet.
Tijdens het gedwongen verblijf van de 'Virgo' op de Vliehors waren er vriendschappelijke contacten tussen de eilanders en de Zweedse bemanning ontstaan. De kennismaking van de scheepskok en een Vlielandse leidde twee jaar later tot hun huwelijk.

De balans

Op de derde februari keerde op zee de normale routine van de zeevaart terug en daarmee brak ook het moment aan om een balans op te maken van het voorbije weekend.
Een groot aantal schepen had schuilhavens kunnen aanlopen, andere hadden de storm afgereden en weer andere hadden zich al of niet met hulp van redding- en sleepboten uit hachelijke situaties weten te redden. Helaas was dat niet alle schepen gelukt; daarvan getuigden de schepen die op diverse plaatsen aan de kust monumentaal op het strand stonden en tot hun berging tot toeristische attracties zouden uitgroeien.
En daarvan getuigde ook de lijst van verongelukte en vermiste schepen.
Koen Landman, indertijd matroos op de kustvaarder 'Friedi': "Ik heb in mijn leven heel wat slecht weer op zee meegemaakt, maar zo slecht als het toen was heb ik daarvoor en daarna nooit meegemaakt. Het was 's nachts net overdag, zo wit was de zee. We hoorden op de noodgolf ook schepen roepen, ook in de buurt,

maar er was geen kijk op dat je wat kon doen. Wij zijn er goed doorgekomen, wij hebben het gehaald."
Minder geluk had de kustvaarder 'Elisabeth', die zaterdagsavonds om half negen met haar stranding bij Ter Heijde min of meer het historische rampweekeinde inluidde.

De 'Elisabeth'

De 'Elisabeth' was een coaster van 146 brt, die op 28 januari met 1700 balen aardappelmeel van Groningen was vertrokken, bestemd voor Londen. Kapitein was de 63-jarige Jan Jonker, die deze reis als aflosser optrad voor zijn schoonzoon, die ook eigenaar van het schip was. Zijn naderhand opgemaakte scheepsverklaring luidde: "De lading was goed gestuwd, de luiken waren gedekt met dubbele kleden, geschalkt en gekegd naar behoren."
De 'Elisabeth' was binnendoor naar IJmuiden gevaren en liet op 30 januari om 10.30 uur de kust van Zuid-Holland achter zich. De bemanning bestond, inclusief de kapitein, uit vier personen. De weersverwachtingen van acht uur 's morgens hadden geluid: "matige wind van zuid tot zuidwest". In de avond werd een weerbericht opgenomen dat van "rustige tot krachtige wind" sprak. Diezelfde avond namen de wind en zee in kracht toe en begon het schip water over te nemen. In zijn scheepsverklaring beschreef de kapitein de situatie om 20.00 uur als volgt: "Wind WZW, buiig, aanschietende zee. Kregen water over dek en luiken." Toen het tijdstip van middernacht de 31e januari inluidde, was er inmiddels sprake van stormweer. De kapitein: "Wind W, toenemend, buiig, toenemende zee.
Om 03.00 uur viel de dynamo uit en raakten de accu's leeg. De elektrische navigatielichten werden door petroleumlampen vervangen. Om 04.00 uur moest vaart worden geminderd om het schip een beter gedrag op zee te geven. De kapitein schreef: "Westerstorm, buiig, zee hoog. Kregen veel water over dek en luiken."
De omstandigheden verslechterden ondertussen voortdurend. Een uur later maakte het schip geen vaart meer door het water, waardoor het moeilijk werd het schip met de kop op zee te houden. Om 08.00 uur stond er een storm uit westnoordwest met harde buien en een zeer hoge zee. Het schip kreeg veel water over. Wegens het ontbreken van elektriciteit kon de richtingzoeker niet gebruikt worden.
Omdat de barometer bleef zakken, besloot de kapitein om 09.00 uur de reis af te breken en koers naar de Nieuwe Waterweg te zetten. De zee kwam nu achterin. Er kwamen zware regenbuien over. Slecht zicht.
Om 16.00 uur werd het vuur van Scheveningen verkend en werd de koers ver-

De omstandigheden verslechterden voortdurend.

legd. Wind en zee kwamen nu van stuurboord in. Er was ondertussen sprake van zwaar stormweer en het schip nam af en toe zware brekers over.
Een overkomende zee ging met de reddingboot, die op het luik gesjord was, aan de haal. De boot beschadigde de presennings van het grootluik en kwam in het bakboord gangboord terecht. De bemanning zag kans de sloep vast te zetten, maar de beschadiging aan de presennings moest men laten voor wat ze was. Anderhalf uur na de koerswijziging werd Hoek van Holland op ZtW gepeild. De in het gangboord vastgesjorde reddingboot sloeg ondertussen weer los, raakte

zwaar beschadigd en werd door de bemanning overboord gezet.
Hoewel de motor op vol vermogen draaide, zette het vuur van Hoek van Holland niet door. Wel verdaagde het schip steeds meer naar de kust. De ramen en deuren van het stuurhuis waren inmiddels al kapot geslagen. In de salon en kombuis stond al spoedig een meter water. De kapitein vermoedde dat het schip water maakte, maar kon dat niet controleren. Ook vreesde hij dat de motor wegens binnendringend water zou afslaan. Om 19.30 uur zag hij het hopeloze van de situatie in. Hij liet vuurpijlen afschieten, maar kon niet waarnemen of ze gezien waren. Hierop besloot hij, om zijn bemanning te redden, het schip op het strand te zetten.
Met vol vermogen van de motor werd de wal ingestuurd. Om 20.15 uur stootte het schip, maar bleef varen. Een kwartier later liep de 'Elisabeth' op zo'n 150 meter van de duinvoet aan de grond en sloeg dwars.
De kapitein gaf signalen op de luchtfluit om de wal te alarmeren. Een half uur na de stranding kwamen er mensen op het strand. De situatie aan boord was ondertussen onhoudbaar geworden; de mannen raakten moe. De kapitein besloot tot schip verlaten. De eerste die overboord ging was de motordrijver. Hij was voorzien van een zwemvest en had een lijn om zijn middel om op die manier een verbinding tussen het schip en de wal tot stand te brengen. Hij kwam behouden aan land, maar de lijnverbinding kwam niet tot stand. Op dezelfde manier ging het met achtereenvolgens de stuurman en de kok. Kapitein Jonker verliet het schip het laatst. Hij raakte bewusteloos, maar werd vanaf het strand gered.
De redders van station Ter Heijde moeten zich ondertussen hebben verbeten, omdat ze hun reddingboot niet te water konden brengen. Door de hoge zeeën op de kust was de cruciale toegangsweg naar het strand namelijk weggeslagen.
In de zitting van de Raad voor de Scheepvaart, die enige maanden later naar aanleiding van de stranding werd gehouden, voerde de inspecteur voor de scheepvaart aan:
"Er liep een harde vloed en er stond een hoge zee. Het schip was meer een speelbal van wind en zee. Als de kapitein had willen trachten het Oostgat binnen te lopen, was hij vermoedelijk op de Banjaard gestrand en zou niemand het leven er hebben afgebracht. Ook bij meer opsturen zou het schip niet vrij zijn gebleven. Het schip was ontredderd, de boot was weg, de presennings waren gescheurd en er kwam water in de motorkamer. Het is daarom te billijken, dat de kapitein besloot het schip op het strand te zetten om de opvarenden te redden. De inspecteur heeft geen kritiek op dit besluit en acht de kapitein niet schuldig aan de stranding van zijn schip."
De uitspraak van de Raad was conform: "De Raad acht het een juist besluit van de kapitein, dat hij te 09.00 uur van 31 Januari besloot de reis af te breken en te trachten Hoek van Holland binnen te lopen.

Na het luwen van de storm lag de 'Elisabeth' tot aan haar boorden in het zand.

De Raad acht het een juiste beslissing van de kapitein te zijn geweest, dat hij te 19.30 uur besloot zijn schip op het strand te laten lopen, daar het duidelijk was geworden, dat hij zijn schip onmogelijk de Hoek binnen kon sturen en er een grote kans bestond, dat het voordien zou zinken."

De onfortuinlijke kustvaarder had deze kust al twee keer eerder onvrijwillig bezocht. In 1919 strandde ze als tweemastschoener bij Hoek van Holland en een half jaar later raakte ze in zwaar stormweer op de Noorderpier. Dertig jaar trok zij haar kielzog daarna zonder wederwaardigheden door de Europese kustwateren, tot ze in de orkaan van 1 februari 1953 haar meerdere moest erkennen.
Nog was haar rol niet uitgespeeld. De 'Elisabeth' werd geborgen, verlengd, ver-

bouwd en in de binnenvaartvloot opgenomen. Als chemicaliëntanker voer ze tot het jaar 2000 tussen Pernis en Moerdijk. In dat jaar eindigde zij haar bewogen leven op negentigjarige leeftijd op een sloopwerf in 's-Gravendeel.

In de eerste week van februari kwamen op diverse plaatsen schepen binnenscharrelen die het in de voorbije dagen niet breed hadden gehad en duidelijk de sporen van het doorstane noodweer droegen.
In dat verband werd de 'Neeltje Jacoba' op dinsdag 3 februari om 17.40 uur tot actie geroepen voor een Deens vissersvaartuig dat uit de Noord kwam en volgens lichtschip 'Texel' zware averij had. Als bestemming had ze IJmuiden opgegeven. Het schip kwam daar echter niet aan en men werd ongerust.
De 'Neeltje Jacoba' vertrok om 18.00 uur en zette meteen koers naar de TX 1. Om 18.35 uur riep de loodsboot de 'Neeltje Jacoba' over de radiotelefonie op en deelde mee dat hij het vissersschip E 68 'Fylla' recht op zich af uit zee zag komen. De 'Neeltje Jacoba' keerde hierop terug en ontmoette de kotter voor de pieren van IJmuiden, waarna beide schepen binnenliepen. Uit het verhaal van de Deense bemanning bleek, dat het schip nauwelijks aan de lijst van vermiste schepen ontkomen was.

De E 68 had in het inferno van de vorige dagen letterlijk een hele slag over de kop gemaakt en de bemanning had haar behoud te danken aan het feit dat er op dat moment drie man te kooi lagen en de vierde man in het stuurhuis stond.
Het relatieve geluk dat de 'Elisabeth', de viskotter E 68 en veel andere schepen beschoren was, gold niet voor alle schepen die zich tijdens de rampdagen buitengaats bevonden.
Drie Nederlandse schepen arriveerden - ook na het bijtellen van tijd - niet in hun bestemmingshaven. Er waren geen noodseinen van de schepen ontvangen, zodat men moest aannemen dat ze vergaan waren. De kustvaarder 'Salland' was een van deze vermiste schepen.

Vermist

De kustvaarder 'Salland' had in het havenplaatsje Par, in het Engelse Cornwall, porseleinaarde - ofwel 'chinaklei' - voor Stockholm geladen en was op 29 januari vertrokken. De kustvaarder was overeenkomstig de voorschriften bemand en werd gevaren door kapitein Rien Teekman, een ervaren en kundig gezagvoerder.
De 'Salland' werd bij Prawle Point gesignaleerd en dit bleek naderhand de laatste zichtmelding van het schip: de 'Salland' liet zich niet meer zien, niet meer horen en kwam niet op haar bestemming aan; ze werd vermist.
Wrakstukken, die op het strand bij Katwijk aanspoelden waren en bleven de

enige, stille getuigen van een ramp die zich op zee voltrokken had. De plaats en oorzaak van de ramp bleven echter een mysterie. Het zou dertig jaar duren voordat het raadsel van de verdwijning enigszins zou worden opgelost.
Sportduikers richtten zich in 1994 op een wrak, dat zich ter hoogte van Egmond op 17 mijl uit de kust bevond. Ze bleken de 'Salland' te hebben gevonden. Een bronzen werfplaat met de naam van de scheepswerf en het bouwnummer nam iedere twijfel weg.

De 'Salland' kwam niet op haar bestemming aan.

Het is wrang te moeten constateren dat de locatie van het wrak al in de jaren tachtig in de kring van Noordzeevissers bekend was, nadat een collega er met zijn netten in was gelopen. De vissers tekenden de positie van het wrak vervolgens in hun zeekaarten, maar meldden het verder kennelijk niet.
De oorzaak van de ondergang zou niet worden opgelost. Uit de toestand van het wrak kon worden geconcludeerd dat de luiken waarschijnlijk door een zware, overkomende zee zijn ingeslagen, wat de onmiddellijke ondergang van het schip ten gevolge had.
Naar aanleiding van de vondst vond op initiatief van mevrouw Teekman en haar kinderen op 29 oktober 1994 in de Nederlandse Hervormde kerk te Egmond aan Zee een plechtige herdenkingsdienst plaats, in aanwezigheid van de nabestaanden van alle zeven slachtoffers.

Ook de kustvaarder 'Westland' kwam na de stormdagen niet op haar bestemming aan. Ze vertrok op 29 januari van Wismar met een lading kalisalpeter, bestemd voor Kingslynn. Ze passeerde het Kielerkanaal en werd bij het passeren van Cuxhaven gesignaleerd. Het schip liep de volgende uren de Noordzee op, die het volgende etmaal door zwaar stormweer en een orkaan zou worden geteisterd. Het schip kwam nooit op haar bestemming aan en werd, na het incalculeren van tegenslag door het slechte weer, als vermist opgegeven. En dat zou ze blijven, in de meest letterlijke betekenis van het woord: geen reddingboot, geen sloep,

De 'Westland' liet geen spoor na.

geen herkenbaar wrakhout, niets werd er ooit nog van het schip aangetroffen. Schip en bemanning lieten geen enkel spoor achter.

Ook de YM 60 'Catharina Duyvis' liep niet binnen. Het schip was op 21 januari ter visserij van Grimsby vertrokken. Tien dagen later, op 31 januari, bevond de trawler zich 's middags circa 20 mijl ten noordwesten van IJmuiden toen de 49-jarige schipper Arie Glas zich wegens toenemend slecht weer genoodzaakt zag bij te draaien en het schip met

De 'Catharina Duyvis' verging met 16 opvarenden.

de kop op zee te leggen. 's Avonds om 20.00 uur voerde de schipper over de radiotelefonie een gesprek met zijn rederij over het oponthoud en vertelde ondermeer dat hij - tussen de zware sneeuwbuien door – de vuren van de kustverlichting op de Nederlandse kust kon zien. Over moeilijkheden werd niet gesproken. Er werd afgesproken dat er de volgende dag weer contact zou zijn. Datzelfde gold voor een collega, met wie de 'Catharina Duyvis' radiocontact had. Maar het werd stil en het bleef stil. Toen het schip na de storm niet binnenliep en evenmin iets van zich

liet horen, moest de bittere waarheid onder ogen worden gezien. De 'Catharina Duyvis' werd vermist, de zestien opvarenden waren op zee gebleven.
Oud-motordrijver Jan Bijl van de motorreddingboot 'Prins Hendrik': "Toen wij buiten zaten, heb ik de 'Catharina Duyvis' nog gehoord. Hoe laat het was, dat weet ik niet meer precies, er gebeurde zo veel tegelijk. Maar ik meen dat wij bezig waren naar huis te stomen, dus dat was zondag in de ochtend.
Ik herinner me dat het met de 'Catharina Duyvis' niet goed was. Hij had het over een ingeslagen sloep en over zijn kolenvoorraad. Het schip had duidelijk moeilijkheden, maar van nood was geen sprake. Hij gaf ook geen positie door. Maar daarna moet het fout zijn gegaan.
Achteraf bekeken moeten wij er niet eens zo ver vandaan hebben gezeten. Die dingen tikken later wel bij je door, die blijven je bezighouden. En naderhand denk je: "Hadden we maar wat geweten, dan hadden we hem misschien nog mee kunnen pikken."

Kuststation Scheveningen Radio had een zeer druk weekend achter de rug met het behandelen van de snel opeenvolgende en gelijktijdige noodseinen van schepen die zich binnen en buiten het territorium van de Nederlandse reddingboten bevonden. Ook de communicatie met de ondergelopen rampgebieden, die grotendeels door scheepszenders werd uitgevoerd, liep via het kuststation.
Het was een titanenklus geweest, die bij de collega's niet onopgemerkt was gebleven. Al op 2 februari ontving Scheveningen Radio een telegram van het Engelse kuststation Portishead, waarin grote waardering voor het efficiënte werk van de Nederlandse collega's werd uitgedrukt: "Congratulate you on your excellent work during weekend!"

Het compliment mag zonder reserve worden uitgebreid tot allen, genoemd en niet genoemd, die in de rampzalige dagen van februari 1953 het beste van hun kunnen en karakter toonden...

—

Dank aan

Dank geldt allen die hun kennis, ervaringen en materiaal beschikbaar stelden voor de totstandkoming van dit boek.
Een bijzonder woord van dank gaat aan mijn vrouw Ria, die mij bij de ontwikkeling en de technische uitvoering van de concepten terzijde stond.

Hans Beukema

Wessel Agterhof, KNRM IJmuiden
P.J. Arisz, Santpoort
Mevr. P.J. Bezuijen-Aalbregtse, Hoek van Holland
Ko Bezuijen, Hoek van Holland
J.A.J. Boekhout, Breskens
Jaap Boersema, Nieuwegein
P.W. Bot, Den Helder
Kees Brinkman, KNRM IJmuiden
J.J. Bijl, Den Helder
Norbert Clasen, Hamburg, BRD
Derek King, RNLI Poole, GB
Deutsche Gesellschaft zur Rettung Schiffbrüchiger, Bremen
H.J. Cornelje, Den Helder
Mevr. Coby Flipse, Vlissingen
Jos van Gaalen, Ter Heijde
P. Heijstek, Hoek van Holland
C.A. den Hollander, Veere
L. van der Horn, Vlissingen
Jan Houter, Vlieland
Peter Klaassen, Vlieland
Jan de Koning, Bruinisse
Koninklijke Nederlandse Reddingmaatschappij, IJmuiden
Beert van der Kruk, IJmuiden
Mevr. Nel van der Kruk, IJmuiden
Ietje Lemckert, Utrecht
Frits Loomeijer, Amsterdam
Andreas Lubkowitz, DGzRS Bremen, BRD
J.A. de Lijser, Cadzand

Boete Minneboo, Colijnsplaat
Cies Minneboo, Colijnsplaat
C. Noorthoek, Stellendam
Kees Nijsse, Veere
A.S. Pattenier, Zierikzee
J.K.C. Postema, Soest
W.J. Robijn, Cadzand
Reinhard Schnake, Köhlen, BRD
Frouke Roukema, Woudbloem
G. Roon, Stellendam
Royal National Lifeboat Institution, Poole, GB
Stichting Nationaal Sleepvaart Museum, Maassluis
Stichting Reddingmuseum Jan Lels, Hoek van Holland
Henk van Seters, Hoek van Holland
Mevr. M. van Seters-Spanjersberg, Hoek van Holland
Willem van Seters, Hoek van Holland
G.J. Schmaal, Delfzijl
J. Snoek, Urk
J.B. Troost, Hoek van Holland
J. Tuil, Farmsum
Carolien Vuursteen, Steenwijk
J. van Wezel, Stellendam
Mrs Shelley Woodroffe, RNLI Poole, GB
Zee- en havenmuseum, IJmuiden

Bos & Koolhof, assurantiën, Delfzijl
Gemeente Delfzijl
Kader Beheer b.v., Delfzijl
Koninklijke Niestern Sander, Delfzijl
Koninklijke Wagenborg Groep, Delfzijl
Merema Transport b.v., Delfzijl
North Sea Petroleum, Groningen
Poseidon Chartering b.v., Delfzijl
Wijnne & Barends' carg. en agentuurkantoren, Delfzijl

Fotoverantwoording

Alle foto's: Archief Koninklijke Nederlandse Redding Maatschappij, tenzij hieronder vermeld.

Hans Beukema, Delfzijl	pag. 13, 15, 60, 96, 111
Fam. Bezuijen, Hoek van Holland	pag. 51, 65, 81
Jaap Boersema, Nieuwegein	pag. 113
P.W. Bot, Den Helder	pag. 42, 43
J.J. Bijl, Den Helder	pag. 46
Deutsche Gesellschaft zur Rettung Schiffbrüchiger, Bremen	pag. 98, 99
Fotocoll. Gemeentearchief Schouwen-Duiveland, Zierikzee	pag. 56, 76, 89
Instituut voor Maritieme Historie, Den Haag	pag. 79
Norbert Clasen, Hamburg, BRD	pag. 101
J.A. de Lijser, Cadzand	pag. 85
Coll. Rob Martens, Groningen	pag. 55
J.K.C. Postema, Soest	pag. 33, 34, 72, 86, 91, 92
Reinhard Schnake, Köhlen, BRD	pag. 103
G. Roon, Stellendam	pag. 31, 62
Royal National Lifeboat Institution, Poole, GB	pag. 16, 18, 21, 23, 24
Fam. Van Seters, Hoek van Holland	pag. 36, 50
G.J. Schmaal, Delfzijl	pag. 113, 115, 116
J. Snoek, Urk	pag. 77
Zee- en Havenmuseum, IJmuiden	pag. 116

Fotografie:

Foto Berge, Haamstede	pag. 32
Foto Roskam, Zierikzee	pag. 34
Jannes Toxopeus, Oostmahorn	pag. 52
Laurens Timmer, Groningen	pag. 54
R. ten Kate, Zierikzee	pag. 56
Aerocamera Bart Hofmeester	pag. 89

Bronnen

Algemeen Rijksarchief, Haarlem
Algemeen Rijksarchief, Rotterdam
Archief Koninklijke Nederlandse Redding Maatschappij, IJmuiden
Archief Deutsche Gesellschaft zur Rettung Schiffbrüchiger, Bremen
Archief Royal National Lifeboat Institution, Poole
Archief Provinciaal Zeeuwse Courant, Vlissingen
Archief Helderse Courant, Alkmaar
Archief Fam. van Seters, Hoek van Holland
Archief IJmuider St. Zee- en havenmuseum, IJmuiden
De februari-ramp, J.E. Ellemers
De ramp, een reconstructie, Kees Slager
De Reddingboot, diverse nummers
De zee was onstuimig, Bram Oosterwijk
Gemeentearchief Steenwijk
In weer en wind paraat, Jaap A.J. Boekhout
Jan Houter, artikelen
Lloyd's Register of Shipping, coll. J. Tuil
Redders uit Lemmer, Herman Klein Nienhuis
Rob Roodenburgh, artikel, onbekend orgaan
Scheepsrampen, Arne Zuidhoek
Stichting Nationaal Sleepvaart Museum, Maassluis, artikelen
The loss of the 'Princess Victoria', Jack Hunter
Watersnood 1953 Schouwen-Duiveland, rapport C.J.W. van Waning

Bijlage I

Verklaring deelname vissersschepen, op 16 februari 1953 opgemaakt door 2e luitenant W.H. Dekker, tijdelijk belast met de bevelvoering vissersvloot.
Schepen, die met radiotelefonie hebben deelgenomen aan het reddingwerk rond Schouwen en Duiveland.

Naam	Nr	Schipper	Data	Plaats
Summes Umbra	UK 41	E. Hoefnagel	2-17	Brouwershaven
7 Gebroeders	UK 31	K.Kramer	2-17	Zijpe
Jacob (centr.post)	UK141	H. Snoek	2-17	Zierikzee
Enni en Appi	HD 25	Gebr. Giessen	2-17	Scharendijke
Poolster	YM 11	Red. de Daad	2-17	Burghsluis
Arend	KW 7	Meerburg-Noordzee	2-13	Viane
Albert	UK 1	J. Molenaar	2-6	
Adriaantje	UK2	A. Romkes	2-6	
4 Gezusters	UK 11	R.Brands	2-6	
De 3 Gebroeders	UK 22	B. Brands	2-6	
Vriendschap	UK 35	C. Romkes	2-6	
Johan Post	UK 57	J.N.J. Kramer	2-6	
Neeltje	UK 60	J. v.d. Berg & Zn.	2-6	
Lummetje	UK 61	J. v.d. Berg & Zn.	2-6	
Jonge Johannis	UK 68	K. Romkes	2-6	
Ora et Labora	UK 73	G. Post	2-6	
Broedertrouw	UK 76	H. en J. Kaptein	2-6	
Vriendschap II	UK 104	L. de Boer	2-6	
Jannie	UK 162	J. Pakker	2-6	
Mattheus	UK 202	L. Kramer	2-6	
Nooit Gedacht	UK 234	H. en G. Bos	2-6	
Vertrouwen	UK 243	P. Bos	2-6	
Pieter	UK 244	R. Bos	2-6	
Avontuur III	SCH 65	Simon Bakker	3-6	
Hendrica Judith	SCH 18	S. Bakker	2-6	
2 Gebroeders	SCH 67	J. en P. Bakker	2-6	
Johanna	SCH 1	E. Hoefnagel	2-6	
Kon. Wilhelmina	SCH 12	G. den Heijer	2-6	
Alk	Douanevaartuig		7-14	Hansweert

Zonder zender hebben deelgenomen:

UK 41	A. Post	
Pieter Johannis	UK 52	Pasterkamp
Jacoba	UK 53	Post
	UK 72	

De YM 213, schipper Prinsen was communicatievaartuig Zierikzee-Burghsluis in de periode 2-17 februari.

Bijlage II

Giethoorn:
Groepsleider J. Gerrits en verder: H. Bakker, R. Koppers, T. Pit, L. van Essen, J. Verbeek, T. Otter, J. Koppers, J. Smit, K.J. Bakker. Groepsleider K. Smit en verder: J. Gorte, W.E. Mulder, H. Wildeboer, J. Schipper, J. Dam, H. Scholing, W. Wuite, F. Hollander, H. Wuite, T. Mol, J. Drost, T. Smink, W. Kroon, G. Scholten, H. Schreur, K. Groen, L. Prinsen, K. Smit, H. Bakker. Groepsleider H. Koppers en verder: A. Stoter, Dr. v.d. Zandt, P. Konstapel, J. Bezembinder, A. Noorman, K. Drost. G. Dijksma, J. Smit, J. Mast, T. Mol, A. Broer, W. Winters, H. Bosch, W. Petter, Chr. Otter, W. Bakker, T. Doze, H. Eker, H. Smit, E. v.d. Kooi, R. Koppers, R. Bakker, H. Slagter, J. Bakker, K. Slagter, A. Haze, J. Smit Kzn., J. Gerrits, T.K. Stevens.

Wanneperveen:
J. ten Wolde, J. Huisman, W. de Vries, H. Bomert, H. Heite, W.J. Zeelenberg.

Ossenzijl:
L. Braad, H. de Boer, W. Braad, R. Braad, K. Braad.

Kallenberg:
J. Poepjes, M. Dolstra, B. Poepjes, G. Dolstra.

Wetering:
B. Vaartjes, C. ter Meer, H.W. Huisman, J.L. Lok.

Steenwijk:
G. Vos.

Van dezelfde auteur verschenen

Sail Ahoy
Hoogtepunten uit de windjammergeschiedenis

Op Kruispost
Zeilende loodsen voor de Nederlandse kust (2e druk)

Prins Willem
De VOC-handelslijnen met Japan (alleen in de Japanse taal verschenen)

Veur Kachel
Verhalen van de waterkant

Te loevert en te lij
120 jaar Koninklijke Zeil- en Roeiver. Neptunus

Dikke Bries
Het levensverhaal van reddingbootschipper Jannes Toxopeus

Wagenborg 100 jaar
Transport over Water, Wadden en Wegen

Een wandeling
door de vesting Delfzijl anno 1850

Varen op twee fronten
Nederlandse kustvaarders in oorlogstijd

Termunterzijl
Grens van zout en zoet (2e druk)

Koninklijke Niestern Sander
100 jaar scheepsbouw aan Delf en zijl

Coproducties

Shipbuilding and repair
Frater Smit, een vergeten rederij
Vaarwijzer voor de Noordzeekust
Pilots- The world of pilotage under sail and oar
De geautoriseerde vertaling:
Mayday, jachten in nood (2e druk)